D0593154

*Mon âme se prend à tout.*

MONTESQUIEU

Cet ouvrage est le fruit des reflexions de toute
ma vie, et peutetre que d'un travail jmmense
d'un travail fait avec les meilleures jntentions
d'un travail fait pour l'utilité publique,
je ne retireray que des chagrins, et que
je seray paié par les mains de l'jgnorance
et de l'envie.

de tous les gouvernemens que jay vu je ne
me previens pour aucun pas même pour
celuy que jaime le plus, parceque jay le
bonheur dy vivre.

apeine eus je lu quelques ouvrages de
jurisprudence que je la regardai comme un pays
ou la raison vouloit habiter sans la philosop.

~~je conçus un dessein.~~

JEAN STAROBINSKI

# MONTESQUIEU

## *par lui-même*

"ÉCRIVAINS DE TOUJOURS"

aux éditions du seuil

# *Quelques dates*

1685. *Révocation de l'Édit de Nantes.*

1688. *Jacques II est chassé du trône d'Angleterre.*

**1689. 18 janvier : Naissance de Charles-Louis de Secondat au château de La Brède.**

22 VARIÉTÉS

que les eaux en ſont claires & abondantes ; 2°. parce que l'argile des environs eſt très fine & très-douce ; 3°. parce que les Fabricans trouveroient dans le Bourg toutes les commodités pour la nourriture & le logement, avantages que n'ont point les foulons de Budos, de Saint-Médard, &c. 4°. parce que la riviere de Garonne n'étant éloignée que d'une lieue, le tranſport des marchandiſes ſeroit moins coûteux qu'ailleurs. J'ai obſervé auſſi que ce foulon donneroit lieu à la fabrication de gros draps dans le Bourg même, ou tout au moins à celle des couvertures, qui exiſtoit autrefois à la Brede, & juſqu'au nombre de huit métiers battans, quoiqu'on fût obligé de porter les matieres en toile au foulon de Budos, c'eſt-à-dire, à quatre grandes lieues. Un autre avantage digne d'attention, c'eſt que les laines de l'Armagnac, qui ſe tranſportent à Bordeaux, pour paſſer de-là dans certaines Provinces voiſines, paſſent en partie dans la Paroiſſe de la Brede.

C'eſt au moulin du Bourg que fut nourri M. de Monteſquieu, & où il fut laiſſé près de trois ans ſous la conduite de ſa nourrice, mais ſous les yeux de ſes parens, pour qu'une nourriture ſimple

BORDELOISES. 23

fortifiât ſa ſanté. Ce fait m'a été conté pluſieurs fois dans ma jeuneſſe, par de vieux Payſans, & je ne le rapporte que parce qu'on s'intéreſſe toujours juſqu'à l'enfance même d'un grand Homme. C'eſt ce qui m'engage auſſi à rapporter la petite anecdote ſuivante. Mde. Renom, tante d'un de mes oncles, & qui poſſédoit le bien de l'Eſtivete, près du bourg de la Brede, à la fin du ſiecle dernier, écrivit ſur une des feuilles blanches de ſes heures, le jour même de la naiſſance de M. de Monteſquieu, la note que voici, & que j'ai lue pluſieurs fois : « Cejourd'hui 18 Janvier 1689, a été » baptiſé dans notre Egliſe paroiſſiale, » le fils de M. de Secondat noſtre Sei- » gneur. Il a été tenu ſur les fonds par » un pauvre Mendiant de cette Paroiſſe, » nommé Charles, à celle fin que ſon » parrain lui rappelle toute ſa vie que » les pauvres ſont ſes freres. Que le bon » Dieu nous conſerve cet enfant (1) ».

(1) C'eſt une choſe remarquable, que l'enfance des deux hommes les plus illuſtres de cette Province, par leur génie & leur réputation, offre préciſement les mêmes ſingularités. Voici ce que Montaigne nous apprend (Liv. III, chap. 13 de ſes Eſſais). « Si j'avois des enfans mâles, je

1689. 13 *février : lecture solennelle du* Bill of Rights *au Parlement anglais, devant Guillaume d'Orange.*

1694. *Guillaume d'Orange emporte la place de Namur.*

1696. Baptême de Marie-Anne de Secondat ; le jeune Charles (7 ans) appose sa signature sur le registre paroissial :

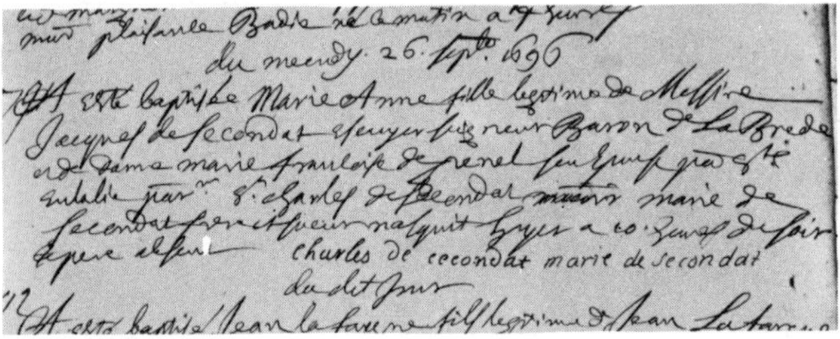

1697. *Paix de Ryswick, qui met fin à la Guerre de la Ligue d'Augsbourg. Louis XIV reconnaît Guillaume d'Orange comme roi d'Angleterre.*

1700. Charles de Secondat fait ses études à Juilly, chez les Oratoriens.

*Le duc d'Anjou, reconnu roi d'Espagne par Louis XIV, entre à Madrid.*

1702. *Début de la Guerre de Succession d'Espagne.*

1704. *Marlborough et le prince Eugène battent l'armée française à Hochstædt.*

1708. Montesquieu étudie son droit à Bordeaux et à Paris.

1709. *Hiver catastrophique et famine en France. Expulsion des religieuses de Port-Royal des Champs. Victoire de Pierre le Grand sur les Suédois à Poltava. Bataille de Malplaquet : l'armée française se retire sur Valenciennes.*

1712. *Défense du territoire français. L'avance du prince Eugène est arrêtée à Denain.*

1713. *La Bulle* Unigenitus *condamne cent une propositions tirées des* Réflexions morales *du P. Quesnel : les jésuites l'emportent sur les jansénistes.*

1714. Charles de Secondat est reçu conseiller au Parlement de Bordeaux.

*Traité de Rastadt, qui consacre la prépondérance anglaise en Europe.*

p. 340 — 1714

Lariere. Le [illegible] a été enseveli dans le Cimetière [illegible] Le corps de Pierre Lariere mort d'hier, âgé de huit [illegible] En présence de Mathieu Montenon, et de Pierre Larcan qui n'ont su signer. —

341 — M. fabre et Coutteau. Le 30e après la cérémonie des fiançailles, et la publication des bans faite pendant trois Dimanches ou fêtes consécutives sans aucun empêchement canonique ni civil, ont reçu la bénédiction nuptiale Guillaume fabre [illegible] d'Anne Brachon, et Petronille Coutteau de cette paroisse, en présence de jean [illegible] [illegible] de la paroisse de [illegible] jean Coussau [illegible] fabre françois [illegible] Coutteau de cette paroisse lesquels ont déclaré ne savoir signer.

Desclhot vicaire

342 — M. de Secondat et Lartigue. le mesme jour après la cérémonie des fiançailles et la publication de deux bans faitte par deux divers jours de dimenches ou festes commendées sans avoir découvert aucun empêchement civil ny canonique [illegible] la dispense du troisième, en datte du trentième avril, signée [illegible] vicaire général, ont receu la bénédiction nuptiale messire charles secondat de montesquieu [illegible] baron de la brède conseiller au parlement, habitant de la paroisse de St mexant d'une part, et demoiselle jeanne lartigue, de cette paroisse de l'autre. Le dit mariage fait en présence de sieur antoine brocas escuier colonel général des costes, mtre estienne brettier, mtre [illegible] habitant de la paroisse ste eulalie, témoins à ce requis qui ont signé excepté le dit [illegible]

Secondat de Montesquieu époux — Janne Lartigue épouse

Brocas — [illegible] — [illegible] — Grimaud curé

343 — Lapeire. Le même jour a été enseveli dans l'Eglise Le corps de Jeanne Lapeire veuve d'Arnaud Louvemant mort le d'hier, âgée de [illegible] ans en présence de [illegible]

Grimaud Curé

1715. Charles de Secondat épouse Jeanne Lartigue.

1er *septembre : mort de Louis XIV ; régence de Philippe d'Orléans.*

vetis, biscarosse et navarre

Sarrau de Boynet — Navarre secret.
directeur.

Avril — Le 3.me avril la compagnie ayant tenu son ~~[illegible]~~ assemblée
du mois mr. navarre luy a fait la proposition
d'agréer monsieur Labrede conseiller au —
parlement pour remplir une place d'academicien
ordinaire, quil souhaitteroit d'occuper et pour —
laquelle il demande avec ardeur les suffrages
de chaque academicien, sur quoy lacademie
suffisament instruite des bonnes vie, mœurs
et capacité dud. s.r de Labrede luy a —
accordé la place quil demande et a chargé
le secretaire d'en ecrire a m. le protecteur
pour obtenir son agréement les academiciens
presens a lassemblée sont mrs Sarrau
directeur, de Gascq vetis biscarosse
et vetis

Sarrau de Boynet
directeur

Navarre sec.

1716. L'Académie des Sciences de Bordeaux ayant décidé d'accueillir Charles de Secondat ( « Monsieur Labrède »), celui-ci hérite peu après de son oncle la charge de président à mortier et le nom de Montesquieu, — sous lequel il prononcera, la même année, son discours de réception à la dite Académie.

1716. *Law crée sa* Banque Générale, *puis la* Compagnie des Indes Occidentales.

1717. *Rapprochement de la France et de l'Angleterre. Conclusion de la Triple Alliance.*

1718. DISCOURS SUR LA CAUSE DE L'ÉCHO.
DISCOURS SUR L'USAGE DES GLANDES RÉNALES.

1719. Projet d'une *Histoire physique de la terre ancienne et moderne.*

1720. DISCOURS SUR LA CAUSE DE LA PESANTEUR DES CORPS.
DISCOURS SUR LA CAUSE DE LA TRANSPARENCE DES CORPS.
*La peste à Marseille et en Provence.*
12 *décembre : démission de Law, échec du* Système.

1721. OBSERVATIONS SUR L'HISTOIRE NATURELLE.
LETTRES PERSANES. Sans nom d'auteur. La prophétie du père Desmolets se réalise : « Cela se vendra comme du pain ».
*En Angleterre, début du ministère Walpole. Celui-ci restera au pouvoir jusqu'en* 1742.

1722-1725. Montesquieu à Paris. Il fréquente l'entourage du premier ministre, le duc de Bourbon. Fêtes à Belébat, chez la marquise de Prie. Mademoiselle de Clermont. Le président Hénault. Montesquieu lit, au Club de l'Entresol, son DIALOGUE DE SYLLA ET D'EUCRATE. Il rencontre Fontenelle chez Madame de Lambert.

1723. 16 *février : Louis XV est proclamé majeur ; il a treize ans.*
2 *décembre : mort du Régent.*

1725. LE TEMPLE DE GNIDE. Sans nom d'auteur.
Montesquieu cède sa charge de président.

1726. *Disgrâce du duc de Bourbon, remplacé par le cardinal Fleury.*

1727. *Le diacre Pâris est enterré à Saint-Médard. Les convulsionnaires.*

1728. Surmontant l'opposition du cardinal Fleury, Montesquieu parvient à se faire élire à l'Académie Française (où il succède à l'obscur M. de Sacy). Mallet, qui le reçoit, l'invite à justifier son élection en rendant, au plus tôt, « ses ouvrages publics ».
Montesquieu part pour l'Allemagne et l'Autriche en compagnie de milord Waldegrave, neveu du maréchal de Berwick.
Vienne : « On y est en même temps étranger et citoyen. »
Montesquieu poursuit son voyage et gagne l'Italie. A Venise, il rencontre Bonneval et Law.
Rome : « On n'a jamais fini de voir. »

1729-1730. Séjour en Angleterre : « A Londres, liberté et égalité. »

1731. *Voltaire publie son* Histoire de Charles XII.

1732. *Boulainvilliers :* Essai sur la noblesse de France.

1733. *Début de la guerre de succession de Pologne.*

1734. CONSIDÉRATIONS SUR LES CAUSES DE LA GRANDEUR ET DE LA DÉCADENCE DES ROMAINS. A Paris, on parle de la décadence du président de Montesquieu. Madame de Tencin l'appelle : « Mon petit Romain ».

1738. *Stanislas Lesczinski renonce à la Pologne ; il reçoit Nancy et le duché de Lorraine.*

1741. *Début de la guerre de succession d'Autriche.*

1742. *Marie-Thérèse cède la Silésie à Frédéric II.*

1745. *Victoire française à Fontenoy.*

*Acte de cession par Montesquieu à d'Albessard, de sa charge de Président.*

1748. De l'Esprit des Lois paraît à Genève, chez Barrillot, sans nom d'auteur. Une contrefaçon paraît aussitôt à Paris. *Paix d'Aix-la-Chapelle : les armées françaises ont combattu pour le roi de Prusse.*

1749. Jansénistes et jésuites attaquent l'*Esprit des Lois.* *Christophe de Beaumont, archevêque de Paris institue le « billet de confession », certifiant la soumission pleine et entière à la Bulle* Unigenitus. *Luttes entre le Parlement et les jésuites.*
*Buffon :* Théorie de la Terre.
*Diderot :* Lettre sur les Aveugles. *Il est emprisonné à Vincennes.*

1750. Défense de l'Esprit des Lois.
*Voltaire à Potsdam. Rousseau : premier* Discours.

1751. L'*Esprit des Lois* est mis à l'*Index.*

1754. Sur la demande de d'Alembert, Montesquieu compose l'Essai sur le Goût, qui paraîtra dans l'*Encyclopédie.*
*Rousseau :* Discours sur l'origine de l'inégalité.

**1755. 10 février : Montesquieu meurt à Paris, « d'une fièvre chaude ».**
...En chrétien, disent les uns ; en philosophe, assure Voltaire.

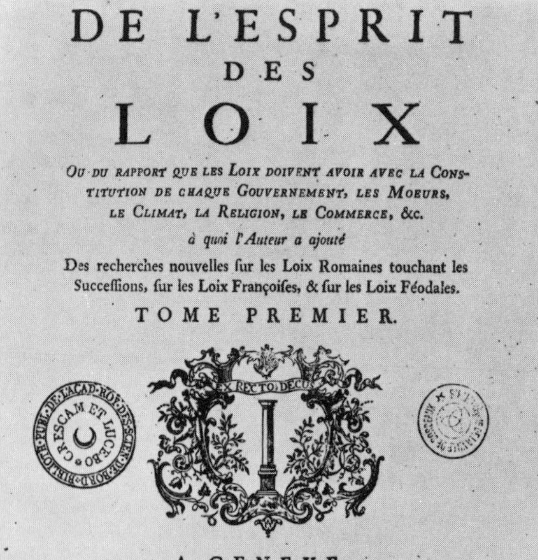
DE L'ESPRIT
DES
LOIX
OU DU RAPPORT QUE LES LOIX DOIVENT AVOIR AVEC LA CONSTITUTION DE CHAQUE GOUVERNEMENT, LES MOEURS, LE CLIMAT, LA RELIGION, LE COMMERCE, &c.
*à quoi l'Auteur a ajouté*
Des recherches nouvelles ſur les Loix Romaines touchant les Succeſſions, ſur les Loix Françoiſes, & ſur les Loix Féodales.
TOME PREMIER.

A GENEVE,
Chez BARRILLOT & FILS.

# NOTE SUR LES ILLUSTRATIONS

Dans leur presque totalité, les documents présentés dans cet ouvrage ont été reproduits par les soins du *Service photographique de la Bibliothèque Nationale*, ou par *M. Pierre Lacarin, photographe à Bordeaux.*

Outre la Bibliothèque Nationale, nous avons également obtenu de nombreux documents à la Bibliothèque Municipale de Bordeaux, aux Archives Municipales de Bordeaux, aux Archives départementales de la Gironde.

Nous tenons à remercier tout particulièrement pour son précieux concours, M. Louis Desgraves, Bibliothécaire en Chef de la Ville, — ainsi que M. X. Védère, Archiviste de la Ville, qui a bien voulu nous communiquer la signature inédite de Montesquieu à 7 ans (p. 6 du présent volume). Les deux portraits reproduits en page 9 sont la propriété de l'Académie des Sciences de Bordeaux.

C'est aux Éditions Delmas que nous sommes redevables de la vue aérienne de La Brède qui figure aux pages 120-121. La toile représentant Denise de Montesquieu (p. 143) appartient à Madame la Comtesse de Chabannes, qui a bien voulu nous autoriser à la reproduire. Enfin, le portrait de Montesquieu à la sanguine date de 1744 et semble être dû à un familier du château, peut-être même à Denise de Montesquieu. (Cf. Meauldre de la Pouyade : *Le Vrai portrait de Montesquieu*, Bordeaux, 1941).

Nous avons utilisé pour la couverture un fragment du portrait de Montesquieu par Carlo Faucci (1767) qu'on trouvera intégralement reproduit en page 115.

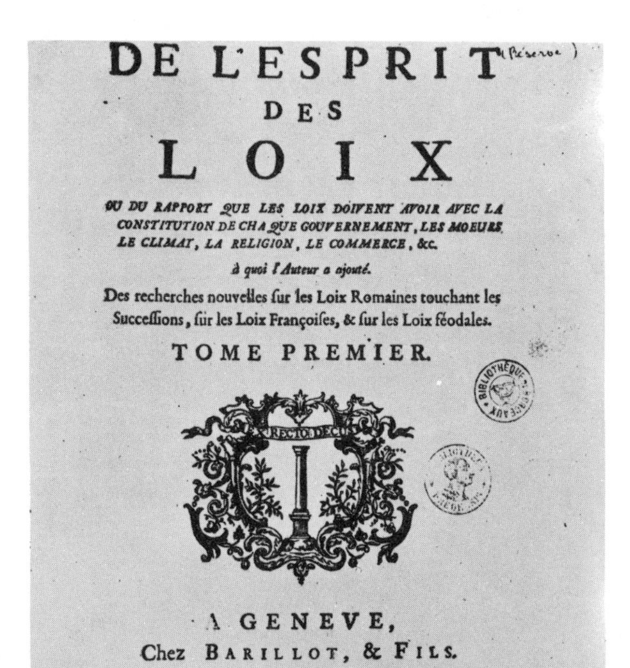

DE L'ESPRIT
DES
LOIX

OU DU RAPPORT QUE LES LOIX DOIVENT AVOIR AVEC LA CONSTITUTION DE CHAQUE GOUVERNEMENT, LES MOEURS, LE CLIMAT, LA RELIGION, LE COMMERCE, &c.

à quoi l'Auteur a ajouté.

Des recherches nouvelles ſur les Loix Romaines touchant les Succeſſions, ſur les Loix Françoiſes, & ſur les Loix féodales.

TOME PREMIER.



A GENEVE,
Chez BARILLOT, & FILS.

# CHARLES DE SECONDAT BA.^on DE LA BRÈDE ET DE MONTESQUIEU

*Cons.^er au Parl.^t de Bordeaux en 1714, Presid.^t à Mortier en 1716; de l'Acad.^e Franc.^e &c. Né à la Brède le 18 Janv.^r 1689, mort à Paris le 10 Fev.^r 1755.*

*Au sortir de ses Humanités Montesquieu fut entouré de Livres de Droit. Son Pere Presid.^t à Mortier au Parl.^t de Bordeaux, en le destinant à la Magistrature, avoit prévu qu'il en deviendroit un jour l'ornement et la gloire. Montesquieu fut reçu Cons.^er à l'age de 25 Ans, et Presid.^t à Mortier deux Années après. Chargé par sa Compagnie de plusieurs commissions délicates, il y déploya les talens et les qualités qui caractérisent le grand Magistrat. Montesquieu qui, dès l'age de 20 Ans, avoit conçu le plan de* L'Esprit des Loix, *travailloit sans cesse à recueillir les matériaux de cet Ouvrage immortel. Se sentoit-il épuisé par le travail, quelques momens employés à la Litterature lui rendoient ses forces. Ce furent ces momens précieux qui donnerent naissance aux* Lettres Persannes. *Cette critique ingénieuse de nos mœurs et de nos usages lui fraya le chemin de l'Acad.^mie Franc.^se* Le Temple de Gnide, *tableau délicieux de l'Amour pastoral parut peu de tems après ces Lettres. Montesquieu persuadé que ce n'est que dans leur pays natal qu'on peut bien étudier les Hommes et leurs Loix, se défait de sa charge de Presid.^t, parcourt presque toute l'Europe, séjourne deux Ans en Angleterre et revient dans sa Patrie. Retiré à sa terre de la Brède, il acheva son excellent Traité* Des Causes de la Grandeur et de la Decadence des Romains *qu'il donna en 1734. On vit enfin paroitre en 1750* L'Esprit des Loix, *production sublime qu'on pourroit appeler le Code des Nations, et qui semble dictée par le Patriotisme et l'Humanité. Cet Ouvrage dans lequel on ne peut dissimuler qu'il ne se trouve quelques erreurs, éprouva les plus vives critiques auxquelles Montesquieu répondit par sa* Defense de l'Esprit des Loix. *La Sorbonne qui avoit entrepris l'examen de ce Livre, ne crut pas devoir prononcer. Cependant le nom de Montesquieu retentissoit dans toute l'Europe, et l'Angleterre s'empressoit d'honorer ce grand homme en faisant frapper sa Médaille. Mais il ne jouit que peu de tems de sa gloire; ses immenses travaux avoient détruit sa santé qui avoit toujours été délicate. Epoux tendre et Pere sensible, il mourut à Paris éloigné de ce qu'il avoit de plus cher.*

**A. P. D. R.**

La gloire de Montesquieu s'est trop vite figée dans le marbre des bustes et le métal des médailles, — substances polies, dures, incorruptibles. La postérité le voit de profil, souriant de tous les plis de sa toge et de son visage, d'un sourire ciselé dans le minéral. Les irrégularités de la physionomie ne sont plus aperçues ou ne comptent plus : il a pris sa distance de grand classique. De la génération qui suit Montesquieu, nous avons conservé des images plus familières : Voltaire au saut du lit, Rousseau parmi les fleurs, Diderot dans sa robe de chambre. Et ces vivants qui se déchirèrent entre eux suscitent encore de chaudes batailles. Montesquieu, en revanche, est l'objet d'une admiration tranquille et sans passion. S'il a jamais provoqué le scandale, l'affaire est éteinte et l'auteur excusé : nul litige avec la postérité. Il n'a point d'ennemi, il n'appelle donc aucun défenseur. Il habite l'immortalité avec modestie. Le voici presque abandonné à la grande paix des bibliothèques.

Ce n'est pas que nous ne lui devions plus rien. Nous vivons dans une société aménagée en grande partie selon les vœux de Montesquieu : l'exécutif, le législatif et le judiciaire y sont séparés ; les peines y sont en principe proportionnées aux délits ; le libéralisme économique y a été pratiqué pendant longtemps. Tout cela nous est si familier que nous y faisons à peine attention. Cela va de soi, comme l'air que nous respirons. Bien plus, nous avons eu tout loisir, à l'intérieur du monde instauré par la pensée politique de Montesquieu, de constater ce qui se corrompait et cédait à l'usage. Nous en sommes à voir se lézarder un édifice que Montesquieu n'avait entrevu que dans son image idéale, esquissée sur fond d'espoir, avant même que la règle et le compas en eussent tracé les plans exacts. Les conditions économiques de l'âge industriel sont venues fausser l'équilibre d'un calcul qui comptait sans elles.

Les idées de Montesquieu, dont le mérite était de pouvoir passer sur le plan de l'application pratique, ont dû subir l'épreuve de l'histoire, — ce qui est à la fois le plus grand honneur et le plus grand risque. Car les idées qui se mêlent au courant de l'histoire ne restent pas longtemps intactes. Elles s'altèrent, s'amenuisent ou s'exaltent, s'assagissent ou deviennent folles, et surtout, contaminées d'idées étrangères, reprises par de nouveaux théoriciens, adaptées aux circonstances par les hommes d'action, elles forment l'histoire pour être aussitôt déformées par elle. Jefferson et les Constituants américains trouvent chez Montesquieu l'idée fédéraliste. Les hommes de la Révolution française, Marat en tête [1], retiennent de l'*Esprit des Lois* l'apologie du civisme et des vertus républicaines. La Restauration, en établissant une chambre des Pairs, rendait hommage au système des « corps intermédiaires » et retrouvait un Montesquieu bicamériste, défenseur des droits de la noblesse et de la grande propriété terrienne. Mais Babeuf et ses amis, puis les socialistes du dix-neuvième siècle, pouvaient eux aussi se réclamer de celui qui avait une fois affirmé que l'État « *doit à tous les citoyens une subsistance assurée, la nourriture, un vêtement convenable, et un genre de vie qui ne soit point contraire à la santé* ». D'une même source, l'inspiration s'est dispersée dans les courants les plus divers. Chacun a pu y trouver son bien. Mais aucun mouvement politique ne l'a pris résolument pour maître : s'il engageait souvent à décréter les lois d'un monde amélioré, il invitait plus souvent encore à comprendre le monde tel qu'il va et à s'en accommoder : leçon d'intelligence historique qui n'oblige pas immédiatement à l'action politique. Ce qui fait qu'au moment où l'on passait aux réformes ou aux révolutions, Montesquieu était cité plus qu'il n'était suivi. (Saint-Just, par exemple,

1. Voir, en Appendice, certains fragments de son *Éloge de Montesquieu.*

met une phrase de Montesquieu en épigraphe de sa brochure sur *L'Esprit de la Révolution et de la Constitution de France.)* L'influence de Montesquieu n'agit qu'à travers des intermédiaires, qui déjà le corrigent selon leurs préférences. Et d'autres influences se surajoutent à la sienne. Le *Contrat Social* est mieux entendu des révolutionnaires que l'*Esprit des Lois*. Les utilitaristes anglais — et surtout Jérémie Bentham — l'ont admiré et ont retrouvé chez lui, par voie détournée, la leçon d'un Mandeville. Mais Bentham doit plus à Helvétius qu'à Montesquieu...

Et ainsi pour le reste. Il y aurait quelque injustice à lui attribuer, comme on le fait souvent, la paternité et la responsabilité du libéralisme moderne, si profondément différent de son modèle primitif et de son principe idéal. Montesquieu n'y retrouverait rien de sa pensée. Il inviterait sans doute à rechercher les causes d'une telle transformation. Il conseillerait de faire un retour en arrière, afin de retrouver les bases et de restaurer la pureté des principes. Mais les principes, quels sont-ils ? Et sont-ils entièrement et clairement consignés dans l'*Esprit des Lois* ? Si nous sommes mécontents de ce que nous sommes, nous ne pouvons pas en toute justice reprocher à Montesquieu de nous avoir faits ce que nous sommes. Les changements attendus par lui ont-ils jamais eu lieu ? Ce qu'il espérait, ce que prudemment il promettait, c'était une réforme de la monarchie française. A la condition qu'on l'écoutât sans tarder. En 1789, il était déjà trop tard pour appliquer le système dans sa totalité. L'on ne pouvait plus réaliser que des fragments de la doctrine de Montesquieu. Et les solutions partielles empruntées à l'*Esprit des Lois* ont eu, depuis lors, le temps d'engendrer de nouveaux problèmes, — lesquels, à leur tour, ont exigé des solutions nouvelles. Quant à ce qu'on a négligé d'écouter, ce sont des avertissements qui n'ont pas pu nous détourner de notre mauvais destin : « *L'Europe se perdra par ses gens de guerre* »... Mais il est inutile et vain de songer aujourd'hui à une Europe où Napoléon ne serait pas apparu.

Pour les hommes du XVIII$^{e}$ siècle, Montesquieu était un *philosophe*. Pour la plupart d'entre nous, il est un littérateur, — un littérateur impur. Le mémoire scientifique, l'analyse historique, les développements de la science morale et sociale ne sont aujourd'hui des objets littéraires que par accident et par exception. Montesquieu, soucieux d'utilité, écrivant pour l'instruction et le bonheur des hommes, ne se conforme guère au canon moderne du littérateur. « *Il n'est pas indifférent que le peuple soit éclairé* ». C'est une formule qui, parmi nos contemporains, se relève à peine d'un long discrédit. A vrai dire, Montesquieu, entre autres choses, est aussi littérateur. Il a écrit, lui aussi, son œuvre inutile, le *Temple de Gnide* — « *peinture poétique de la volupté* » — mais c'est sa plus mauvaise œuvre, celle où les défauts de l'époque s'accumulent et prévalent, celle qui, ayant prétendu appartenir à un monde de formes éternellement jeunes, a vieilli le plus rapidement. Ailleurs apparaît l'historien, le sociologue, le juriste, le philosophe, — bon écrivain par surcroît. Mais les amateurs de plaisir littéraire se résignent à ne trouver en lui que l'homme d'un *style*, puisqu'il ne leur offre point d'*œuvre* qui soit tout entière l'accomplissement d'un pur exploit de langage.

La réflexion de Montesquieu s'applique à tous les domaines du savoir. Non pas d'un mouvement continu et systématique, selon l'esprit de la philosophie du XVII^e^ siècle. Ce sont des faits précis qu'il voudra établir, des lois expérimentales qu'il cherchera à formuler, en suivant l'exemple des naturalistes et surtout la leçon de Newton. « *Les observations sont l'histoire de la physique et les systèmes en sont la fable.* » Il a des vues sur la physique et sur la physiologie ; il examine des plantes au microscope, observe les effets de la chaleur et du froid dans les organismes animaux ; il imagine des expériences sur la possibilité qu'aurait l'homme de voler comme les oiseaux, il élabore une sociologie du droit, il esquisse une esthétique, il énonce des principes d'économie politique, il rêve de géologie et de géographie, il connaît des recettes de drogues, et il peut expliquer l'excellence d'un médicament : « *La raison qui fait que les cloportes sont si bons pour les obstructions, c'est qu'ils vivent dans de vieilles caves sur le nitre, qui, passant par les petits canaux de ces animaux, acquiert le plus haut degré de perfection et de volatilité où il puisse être. Or le nitre est admirable contre tout épaississement du sang.* » Le disciple de Newton, en ceci, n'a pas eu de chance. On ne rencontre pas tous les jours la loi de la gravitation universelle. Il faut être mathématicien pour cela. Et Montesquieu n'est pas mathéma-

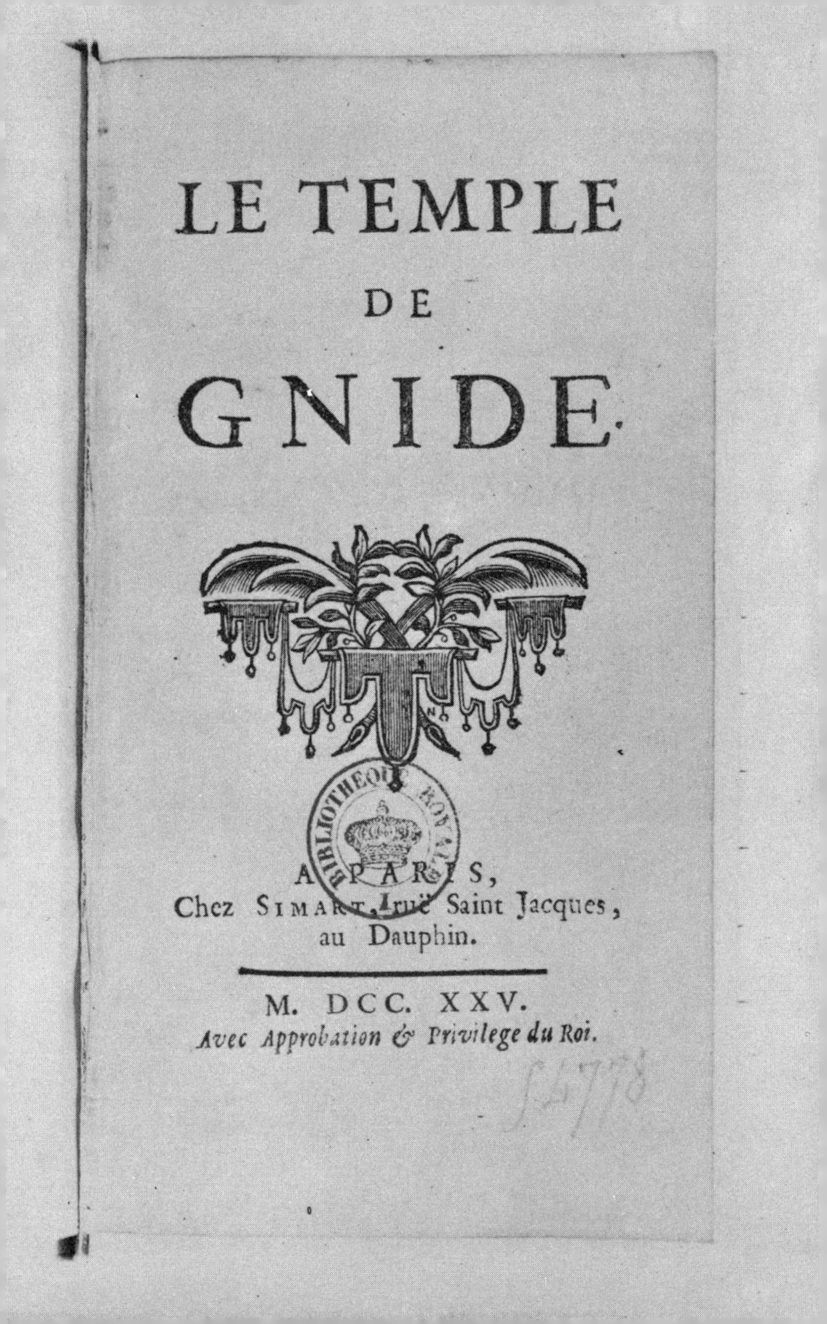

# LE TEMPLE DE GNIDE.



A PARIS,
Chez SIMART, rue Saint Jacques, au Dauphin.

M. DCC. XXV.
*Avec Approbation & Privilege du Roi.*

Car. Eisen del. N. le Mire Sculp.

*Il se cacha sous ses genoux, je le suivois; .........*

Car. Eisen del. N. le Mire Sculp.

*Une nuit que j'étois dans cet état tranquille.*

ticien. Il s'est appliqué aux sciences exactes sans avoir jamais appris à mesurer les faits observés.

« *Toutes les sciences sont bonnes et s'aident les unes les autres.* » D'une science à l'autre, point de frontières. « *Tout se tient* » ; « *tout est mêlé* ». La raison a droit de regard sur tout ; sa compétence est universelle ; le monde, devant elle, est d'une seule pièce : un seul tissu de causes et d'effets. Et l'unité du monde a pour corollaire l'unité de la science. Montesquieu écrit : « *Les sciences se touchent les unes les autres ; les plus abstraites aboutissent à celles qui le sont moins, et le corps des sciences tient tout entier aux belles lettres... Il est donc bon que l'on écrive de tous les sujets et de tous les styles. La philosophie ne doit point être isolée : elle a des rapports avec tout.* » Propos qui sont bien d'un admirateur de Fontenelle, et qui portent la marque d'un temps où les opinions cartésiennes et la rhétorique élégante semblaient pouvoir s'unir pour l'avancement des connaissances. C'était revendiquer la possibilité de décrire le monde dans un langage unique, mais dans un langage non technique, non quantitatif, non mathématisé : dans le langage raisonnable des honnêtes gens. Aux yeux de Montesquieu, cette langue des « belles lettres » a le mérite de savoir exprimer les nuances : et « *le bon sens consiste beaucoup à connaître les nuances des choses* ». Or cette discrimination nuancée ne lui paraît pas être l'apanage des mathématiques : « *Le mathématicien ne va que du vrai au vrai, du faux au vrai par les arguments* ab absurdo. *Ils ne connaissent pas ce milieu, qui est le probable, le plus ou moins probable. Il n'y a pas, à cet égard, de plus ou de moins dans les mathématiques.* » Le discours aux phrases sensibles, l'usage opportun des tournures dubitatives, l'ordre logique des propositions, voilà l'instrument préférable pour explorer les « *causes de l'écho* », « *l'usage des glandes rénales* », la « *cause de la transparence des corps* ». Le *discours* est tenu pour l'expression la plus satisfaisante de la raison. L'idée d'un langage spécialisé, plus rationnel et plus rigoureux, n'apparaît à aucun instant. C'est ainsi que les Académies, et surtout les Académies provinciales, dont Montesquieu est le représentant éminent, s'occupent tour à tour de morale, d'anatomie, d'astronomie, d'histoire, de physique — toutes également matières à discours. Dès lors, certes, le champ du savoir est unique, mais c'est au prix de l'inexactitude. La raison discourante ne tardera pas à sentir l'incertitude de ses conjectures. Bientôt la littérature « pure » et la science « pure » iront chacune son chemin, et il ne sera plus permis d'évoquer la nymphe Echo en même temps que la mécanique des ondes sonores, dans l'apparat d'un discours d'Académie. Les sciences définiront leurs méthodes distinctes, réservées aux seuls spécialistes, qui auront appris à calculer et à mesurer.

Montesquieu, écrivain impur et savant imprécis, reste le témoin d'un moment où l'esprit faisait face à un monde d'un seul tenant et où la saisie de la totalité paraissait aisée et prochaine, pour une Raison qui n'avait encore d'autre arme que sa confiance en elle-même. Sinon, comment oser concevoir le « *Projet d'une Histoire physique de la Terre ancienne et moderne* » ? La curiosité de Montesquieu, en parcourant des domaines si vastes, ne sait pas qu'elle se voue tour à tour à des sciences à ce point dissemblables : les disciplines ne se sont pas encore retranchées derrière leurs frontières. C'est parce que nous avons subdivisé le savoir que nous voyons en Montesquieu l'homme de la multiplicité. Il n'est, lui, préoccupé que d'une seule question : celle du rapport que les choses entretiennent entre elles, selon leur ordre naturel. Et, du monde physique au monde social, cela suffit à faire de tous les problèmes un seul et perpétuel problème, celui de la « *nature des choses* ».

Montesquieu n'a jamais cherché à se donner en exemple : sa vie en devient exemplaire. Il n'y a rien à en dire, sinon qu'elle fut heureuse, occupée de beaucoup de travaux, de quelques voyages, et récompensée par le succès.

Notre époque choisit d'ordinaire pour héros littéraires des hommes plus tourmentés et plus mystérieux. Que dire d'une vie si claire, si éloignée de toute ostentation pathétique et de toute pose olympienne ? Il n'apparaît pas que ce bonheur ait été difficile, ni qu'il ait dû être conquis contre les obstacles de la malchance. Charles Louis de Secondat, baron de la Brède, possède par droit de naissance assez de biens pour vivre à l'écart des soucis d'argent. Il n'a pas à déployer d'ambition pour devenir Président à mortier du Parlement de Bordeaux : son oncle lui cède cette charge par testament. Son rang, sa fortune n'ont d'abord rien à faire avec son mérite : il est un privilégié, il lui suffira de suivre les traditions familiales et de recevoir ce qui d'avance lui est offert. Il ne se contentera pas de recevoir l'héritage de sa lignée ; à son tour il veillera diligemment sur l'intérêt familial. Entre autres exemples : pour que le domaine entier reste entre les mains des Secondat, il mariera sa fille Denise à un cousin germain... Il n'éprouvera point de difficulté à conformer sa vie officielle à la règle et à « *l'esprit général* » que lui impose son milieu de noblesse provinciale. Sa vie bien ordonnée doit son ordre et sa rectitude à ce droit non écrit qui est la morale des grandes familles possédantes. C'est là, d'abord, un ordre et une règle reçus du dehors : Montesquieu s'est soumis aux devoirs de sa condition, en même temps qu'il en recevait les avantages. Mais à vrai dire, cette soumission à l'ordre traditionnel n'intervient que dans les grandes circonstances où sont intéressés le nom et le domaine, — l'*être* et l'*avoir* de la lignée. Pour la religion, cet ordre est déjà moins rigoureux : Montesquieu épouse une protestante, Jeanne Lartigue. Quant au privé de l'existence, rien n'empêchera que Montesquieu ne fasse, comme spectateur, et sans doute aussi comme acteur, l'expérience du prodigieux désordre de la Régence. — Mais qu'il ait retrouvé malgré tout, dans le travail de l'esprit et dans la réflexion, un ordre et une assez rigoureuse discipline, cela ne lui vient plus de son milieu, il en est alors le seul créateur. Ici commence vraiment Montesquieu.

L'*Esprit des Lois* achevé, Montesquieu se retourne en arrière et découvre que toute sa vie avait pour but l'*Esprit des Lois*. « *Je puis dire que j'y ai travaillé toute ma vie : au sortir du collège on me mit dans les mains des livres de droit ; j'en cherchai l'esprit, je travaillai, je ne faisais rien qui vaille. Il y a vingt ans que je découvris mes principes : ils sont très simples ; un autre qui aurait autant travaillé que moi aurait fait mieux que moi. Mais j'avoue que cet ouvrage a pensé me tuer ; je vais me reposer, je ne travaillerai plus.* » Vue de ce regard rétrospectif, toute l'existence de Montesquieu a convergé vers cette œuvre ; toutes les expériences y ont servi, toutes les forces y ont été consacrées. Il faut donc aller chercher sa vie dans ce maître livre, qui l'a utilisée et absorbée. Alors, tout prend un sens, tout aboutit : les *Voyages* sont une documentation pour l'*Esprit des Lois*, les *Considérations sur les Romains* sont un chapitre détaché de l'ouvrage à venir... Nous avons ici l'image d'une vie sacrifiée, discrètement mais résolument sacrifiée au devoir créateur qu'elle s'est imposé. D'où résulte un bonheur sans nul regret pour les plaisirs auxquels le travail s'est substitué.

Mais cette vision, qui recompose après coup toutes les perspectives, subordonne trop aisément l'existence à l'œuvre finale faite et parfaite. Sans doute y eut-il en chemin davantage d'hésitations, d'incertitudes, de tentations, de distractions, au moment où les choses se faisaient et n'étaient encore qu'espoirs et projets. Si l'on peut à la rigueur imaginer que les *Lettres Persanes* conduisent à l'*Esprit des Lois*, que dire du *Temple de Gnide ?* Et tant d'intentions abandonnées : un Traité des Devoirs, un ouvrage sur le Bonheur, et cette *Histoire Véritable* que Montesquieu renoncera à publier. Tout n'a pas été prévu et ordonné en vue de l'ouvrage monumental. Plus tard seulement, il se trouvera que tout y aura servi comme à dessein. Il n'y a jamais rien eu de crispé ni de pédantesque dans la persévérance de Montesquieu. Il a retenu ce précepte qu'il note dans ses cahiers : « M. Locke said : *Il faut perdre la moitié de son temps pour pouvoir employer l'autre.* » Les heures passées dans les salons ou aux soupers de Belébat ne lui auront pas été préjudiciables. Il y aura appris comment on fait œuvre de parole : « *Les conversations sont un ouvrage que l'on construit, et il faut que chacun concoure à cet ouvrage.* » La cécité obligera Montesquieu à dicter son livre ; l'*Esprit des Lois*, en beaucoup de passages, sera une œuvre de pensée parlée. C'est alors avec Gravina, avec Grotius, avec Bayle, avec Arbuthnot, avec Mandeville, que Montesquieu dialoguera, inventant à chaque instant la réplique, prévoyant l'objection, attendant parfois le murmure d'approbation de son auditoire. Le temps n'aura pas été perdu.

Ce qu'il aura à révéler de lui-même sera facile à exprimer. La connaissance de soi lui est aisée et immédiate : « *Je me connais assez bien.* » Elle ne se heurte à aucun mystère intérieur. Tout est en pleine lumière. Il parlera de lui-même en phrases brèves et sans détours. Mais il y a, au départ, cette légère honte à traiter de soi : « *Je vais faire une assez sotte chose, c'est mon portrait.* » Et par une prudence qui ne trompera personne, le portrait est attribué à « *une personne de ma connaissance* ». Peut-être est-ce pour prendre la distance nécessaire, afin de parler commodément de soi comme d'un autre ? Ou bien parce qu'une confession est une distraction indigne d'un homme voué à la considération des lois qui régissent les grands mouvements de l'histoire et de la société ?

Le fait premier que rencontre l'examen de soi, c'est l'absence d'ennui et de chagrin. Fait négatif, qui se traduit par le fait positif du bonheur. Le bonheur a été pour Montesquieu une évidence perpétuelle : il l'habite. Mais il faut dire plus : ce bonheur est au centre de son caractère. Ce n'est pas là seulement l'effet des circonstances favorables et le produit de la chance. En décrivant son bonheur, il décrit l'une de ses facultés maîtresses : « *Ma machine est si heureusement construite* »...

Mais le bonheur de Montesquieu n'est pas tout simple, et la formule n'en est pas facile à tracer. Cet homme de bibliothèque, cet infatigable liseur, c'est dans sa vigne et travaillant parmi les ceps qu'on le surprendra, non parmi les livres. Ce Français patriote est aussi le meilleur des Européens : « *Le cœur est citoyen de tous les pays.* » Cet homme de peu de foi n'a-t-il pas la plus solide de toutes les croyances, pour oser faire confiance au bonheur ? Il défendra la religion devant les matérialistes et les « spinozistes », mais il l'attaquera devant le clergé ; et il mourra en chrétien respectueux, après s'être confessé... Il est, avec son compatriote Montaigne, l'un des rares qui sachent occuper les mi-distances, sans se laisser gagner par la médiocrité. La modération, telle que Montesquieu la pratique, n'est pas une vertu de rétrécissement. C'est tout au contraire l'attitude qui rend possible la plus vaste ouverture sur le monde et le plus large accueil. Voilà ce qui fait que cette œuvre modérée nous apparaît si diverse, et chargée de richesses au point de ne pas éviter les contradictions (qu'elle dédaigne souvent de concilier). Les *Lettres Persanes*, à mi-chemin entre l'essai et la fiction, entre l'ironie et la métaphysique, entre la sensualité et l'intelligence ; l'*Esprit des Lois*, à mi-distance entre la sociologie et la législation idéale, entre la philosophie du droit et le pamphlet anti-absolutiste, entre l'appel de la novation intellectuelle et le respect de la tradition politique, entre le désir de rendre les raisons du monde tel qu'il va et la volonté d'améliorer la société.

On trouve en Montesquieu tout ensemble un voyageur et un homme fixé à sa terre. C'est là sans doute la plus significative et la plus symbolique des antithèses que Montesquieu a vécues — non certes jusqu'à l'extrême tension — et qu'il a résolues sans nul drame, par la seule pondération. Car il en va de même de son intelligence, tout ensemble fixée et non fixée, stable et souverainement détachée.

La mobilité, la curiosité, le goût de la nouveauté, le plaisir de rompre et de recommencer, sont dans l'air du siècle (on en trouve l'expression exemplaire dans le type du libertin, dans ce Don Juan dont le mouvement et le désir ne connaissent pas de repos). Le plaisir du mouvement, nous n'en trouverons peut-être pas le témoignage le plus évident dans les Journaux de voyage, où, trop occupé à décrire objectivement ce qu'il voit, Montesquieu néglige de se raconter lui-même à travers ce qu'il observe. Le goût de la mobilité s'exprimera bien davantage dans le perpétuel recommencement d'existence du « métempsycosiste » de l'*Histoire véritable.* Et ce plaisir se lit dans le style même de Montesquieu, dans cette rapidité discontinue, dans cette façon de devancer l'enchaînement prévisible, en donnant à l'inattendu la dignité d'une conséquence logique, en conférant à la déduction rigoureuse le charme de l'imprévu. « *Pour bien écrire, il faut sauter les idées intermédiaires.* » Ce style a fait les délices de Stendhal, qui y trouvait à la fois son modèle de vitesse et son modèle de simplicité.

Mais, sans renoncer au plaisir de sa mobilité, l'intelligence de Montesquieu demeure profondément attachée à un certain nombre de valeurs qui lui servent de centre d'équilibre. La solidité de ces attaches (qui ne sont pas toutes des idées abstraites) vient contrebalancer le libre mouvement de l'intelligence affranchie. L'image de l'homme qui fait valoir ses vignes s'oppose à l'image du voyageur qui jouit de son ubiquité. Il y a, d'une part, cet esprit libre, et qui ne tient à rien, sinon à la conscience claire du spectacle que le monde lui offre ; et il y a d'autre part ce hobereau, qui tient à sa terre, à ses revenus, et qui défendra les privilèges politiques de sa caste, compromis par la monarchie absolue.

J'aime cette image de Montesquieu vigneron, moins connue que celle de l'académicien et du président à mortier. On a trop vite fait de dire que le XVIIIe siècle se caractérise par l'abstraction et la sécheresse. Voici un homme, au contraire, qui sait quelles influences feront une bonne cuvée : il y faut le sol, le climat, la qualité de la plante, une vendange opportune. Il sait par quelle lente poussée le suc s'accumule dans la grappe, quelle patience et quelle chance favoriseront cette maturation. Écrivain, il saura aussi combien de temps il faut laisser mûrir un bon livre : vingt années pour l'*Esprit des Lois* ! Sociologue ou législateur, il connaîtra la diversité des conditions concrètes sans lesquelles les lois et les constitutions pourrissent sur pied. La liberté du commerce international ne lui importe guère moins que la liberté d'expression : il vend son vin de la Roche-Maurin à ses amis anglais et autrichiens. Ce vin a peut-être annoncé à quelques amateurs la saveur franche de l'*Esprit des Lois :* c'est le Bordeaux rouge de Montesquieu. Son cru blanc, sucré et fort en alcool, ce sont les *Lettres Persanes.*

Ajoutons cependant cette remarque : l'image de Montesquieu vigneron permet de situer sa doctrine économique et sa pensée politique ; elles concernent un monde où les problèmes des échanges internationaux peuvent aisément se rapporter au modèle du commerce des vins. Aucune cheminée d'usine ne fume encore à l'horizon.

Le bonheur est lié au fait même d'exister. « *Les plaisirs sont attachés à notre être.* » Nous oublions de nous en apercevoir, comme de tout ce qui est trop coutumier. Nous vivons, et le simple fait de vivre est « *une félicité habituelle, qui n'avertit de rien parce qu'elle est habituelle* ». Le bonheur est mêlé au cours même de l'existence, à son niveau le plus élémentaire. Les actes simples par lesquels notre vie se conserve sont déjà du bonheur : respirer, dormir, manger. Loin d'être abandonné à des fatalités obscures, loin d'appartenir à un monde réprouvé, notre corps accomplit sa loi organique dans le plaisir, — du moins tant que la disposition des organes reste favorable. Bonheur métaphysique — puisqu'il est attaché à l'être ; et en même temps animal et viscéral — puisqu'il est également attaché aux conditions physiologiques de la vie.

Mais sur cette trame de bonheur fondamental et involontaire, sur cette « *basse continue* » (qu'on ne s'avise pas de percevoir, tant elle est fondue dans le concert), vont s'ins-

*Chai à vin, dans une ferme de La Brède.*

crire de nouveaux plaisirs, dont nous serons les artisans plus conscients. Le bonheur est alors la récompense d'une activité de l'âme. Écoutons Montesquieu : « *Pour être heureux, il faut avoir un objet... Notre âme est une suite d'idées ; elle souffre quand elle n'est pas occupée, comme si cette suite était interrompue et qu'on menaçât son existence... Si quelques Chartreux sont heureux, ce n'est pas seulement parce qu'ils sont tranquilles ; c'est parce que leur âme est mise en activité par de grandes vérités* »...

Montesquieu définit ici une image énergétique du bonheur. Cette image n'est pas nouvelle : Aristote parlait du bonheur comme d'une « activité de l'âme conforme à la vertu ». La partie morale de cette définition, la soumission à la vertu, n'est pas aussitôt reprise par Montesquieu. Pour lui, le plaisir d'agir s'épanouit indépendamment de l'attrait de la vertu : le bonheur est une force en mouvement.

Aussi bien est-ce par les caractères du *rythme* imprimé à la vie que Montesquieu distinguera les hommes heureux et les hommes malheureux. Les nuances du rythme permettront de reconnaître et de séparer les diverses espèces d'hommes heureux ou malheureux. Il y a par exemple « *deux sortes de gens heureux* ». Les uns connaissent des plaisirs discontinus, qui doivent s'interrompre — épuisés par leur vivacité même — afin de pouvoir être renouvelés plus tard : « *Ils désirent vivement ; ils espèrent, ils jouissent et bientôt ils recommencent à désirer.* » Les autres vivent dans une continuité modérée, le mouvement auquel ils se confient ne connaît pas l'accident ni le sursaut : ils « *ont leur machine tellement construite qu'elle est entretenue et non pas agitée ; une lecture, une conversation leur suffit* ».

Ce qui est certain, c'est que le bonheur n'est ni un repos, ni une vacuité. Point d'activité interdite ou réprouvée, nulle méfiance à l'égard du désir et du plaisir. La morale de Montesquieu invite simplement à former des désirs que nous puissions réaliser sans dépense excessive d'énergie, c'est-à-dire sans compromettre notre stabilité vitale. Un rapport de convenance doit constamment ajuster nos désirs à notre condition présente. Le bonheur est au prix de cette « eurythmie » du désir. Tandis que le malheur survient par la défaillance ou par l'excès du désir ; il est « arythmie » ou « dysrythmie » :

*Il y a deux sortes de gens malheureux... Les uns ont une certaine défaillance d'âme qui fait que rien ne la remue.*

*Elle n'a pas la force de rien désirer, et tout ce qui la touche n'excite que des sentiments sourds. Le propriétaire de cette âme est toujours dans la langueur ; la vie lui est à charge ; tous ses moments lui pèsent. Il n'aime pas la vie ; mais il craint la mort.*

*L'autre espèce de gens malheureux, opposée à ceux-ci, est de ceux qui désirent impatiemment tout ce qu'ils ne peuvent pas avoir, et qui sèchent sur l'espérance d'un bien qui recule toujours.*

*Je ne parle ici que d'une frénésie de l'âme, et non pas d'un simple mouvement. Ainsi un homme n'est pas malheureux parce qu'il a de l'ambition, mais parce qu'il en est dévoré.*

Le malheur est dans les extrêmes de l'intensité ou de l'atonie, de la vitesse ou de la lenteur. Dans l'apathie, l'âme s'engourdit et perd conscience d'elle-même. Sa langueur la rapproche de la mort. Mais, vouée aux désirs excessifs, l'âme inassouvie est en proie à la frénésie, — qui est, elle aussi, une sorte de maladie. Ce n'est donc jamais le désir en lui-même qui est condamnable, mais le rythme précipité ou le rythme alangui. Il est mauvais que la vie s'arrête ou que la vie explose. Le rythme du bonheur, entre ces deux extrêmes, est celui du *simple mouvement* dont Montesquieu parlait tout à l'heure pour l'opposer à la frénésie. Mouvement qui sait être rapide, *ma non troppo* — mouvement tranquille et tranquillité mouvementée —, toujours compatible avec le progrès harmonieux de la vie. Telle est la condition qui permettra de connaître le « *comble de la félicité* » : « *Former toujours de nouveaux désirs et les satisfaire à mesure qu'on les forme.* »

Si le bonheur va de pair avec la mesure et la modération ce ne sont là, au premier chef, que des qualités de mouvement, et non pas des impératifs moraux. La modération se définit comme le meilleur emploi de nos forces et comme l'allure la plus favorable : la seule allure qui soit en accord avec la continuité d'une vie active. Les valeurs vitales — les valeurs de productivité — sont ici évoquées avant les valeurs morales. Il se trouvera, mais par surcroît, que cette dynamique du plaisir équilibré coïncidera avec les exigences de la morale. C'est par le détour des plaisirs — des vrais plaisirs — que nous rejoignons l'impératif du bien. Nos joies les plus solides sont aussi les plus avouables, et l'on peut dire que notre plaisir ne déplaît pas à Dieu. Les meilleures de nos actions, celles où précisément nous nous efforçons de lui *plaire*, ont pour effet de sublimer le « *principe de plaisir* » et d'y faire participer la divinité elle-même. (Malebranche s'y prend de la même façon pour convertir les épicuriens : plutôt que d'attaquer l'hédonisme, il prétend s'y rallier, mais pour montrer que la Grâce est le suprême plaisir.)

Ce bonheur de mouvement trouve à s'épanouir sur le plan de l'intelligence comme sur le plan de la vie sensible. Quand Montesquieu décrit l'âme comme une suite d'idées, on le croirait tenté de donner une définition intellectualiste de l'esprit humain, selon la tradition cartésienne qui sépare âme et corps, substance pensante et substance étendue. La façon souvent rigoureuse dont Montesquieu distingue deux systèmes de causalité — les causes physiques et les causes morales — relève en grande partie de la même tradition, et lui permettra de réfuter les accusations de matérialisme. Pourtant on verra en mainte occasion Montesquieu attribuer la primauté absolue à la sensation, à la disposition corporelle, à la structure de la « machine ». En sollicitant un peu les textes, on pourrait ainsi faire de Montesquieu un empiriste et un sensualiste, selon la mode philosophique du siècle. La première partie du petit écrit sur les *Causes qui peuvent affecter les Esprits* est une « histoire naturelle » de l'âme : elle décrit la genèse des sensations à partir du climat et de la constitution de l'organisme, explique la pensée par l'association des sensations, part des instincts pour aboutir à la raison. Et l'on ne voit intervenir, entre le sentiment et la raison, qu'un progrès d'affinement qualitatif, dont les étapes seront parfaitement enchaînées, sans que subsiste entre le corps et l'esprit aucune séparation essentielle, ni aucune division ontologique. L'homme sensible et l'homme pensant ne sont pas distincts. Dans l'*Invocation aux Muses* qui précède la quatrième partie de l'*Esprit des Lois*, Montesquieu écrit avec assurance que la raison « *est le plus parfait, le plus noble et le plus exquis de nos sens* ». Et de façon plus explicite, dans l'*Essai sur le Goût* : « *Quoique nous opposions l'idée au sentiment, cependant, lorsque* l'âme *voit une chose, elle la sent ; et il n'y a point de choses si intellectuelles qu'elle ne voie ou qu'elle ne croie voir, et par conséquent qu'elle ne sente.* »

Le plaisir de l'esprit n'est donc autre que l'achèvement clair du plaisir des sens ; il le porte à sa perfection ; il le subtilise, et parfois à l'excès. Qui n'a remarqué, lisant l'*Esprit des Lois*, combien cette intelligence reste attachée aux valeurs sensibles ? et, dans les *Lettres Persanes*, qui ne s'est irrité de voir la volupté devenir trop intelligente ? Peut-être l'affinement de la sensualité a-t-il été poussé souvent jusqu'à la sécheresse : quelque chose s'est perdu au cours de la transmutation. La qualité du plaisir sensible n'a plus toute sa saveur native. L'esprit n'est-il pas, selon les vues physiologiques de Montesquieu, « *une sécheresse modérée du cerveau* » ? Il n'en reste pas moins vrai que le mouvement où l'âme trouve son plaisir implique le mouvement et le plaisir du corps. Le rythme heureux est un rythme de l'organisme entier.

Et parce que le bonheur est lié au corps, Montesquieu pourra ajouter à sa théorie cet important complément relativiste : à chacun son bonheur, selon sa constitution physique et selon son milieu. « *On est heureux dans le cercle des sociétés où l'on vit... Témoin les galériens. Or chacun se fait son cercle, dans lequel il se met pour être heureux.* » Le monde des sens est le monde de la relativité, et notre bonheur, de ce fait même, est entraîné dans la relativité. C'est ce que Montesquieu affirme dès le début de ce petit traité du plaisir qu'est l'*Essai sur le Goût* : « *Notre manière d'être est entièrement arbitraire ; nous pouvions avoir été faits comme nous sommes, ou autrement. Mais si nous avions été faits autrement, nous verrions autrement ; un organe de plus ou de moins dans notre machine nous aurait fait une autre éloquence, une autre poésie ; une contexture différente des mêmes organes aurait fait encore une autre poésie...* »

Divines Muses je sens que vous
m'inspirés non pas seulement ce que l'on chante a Tempé
sur les chalumeaux ou ce qu'on repete a Delos
sur la Lyre. vous voulés encore que je fasse
parler la raison. elle est le plus noble, le
plus parfait et le plus Exquis de nos sens

Si le bonheur est dans le mouvement, il faut encore ajouter que ce mouvement n'est pas gratuit : c'est une ouverture sur le monde. Seul le jeu est un mouvement qui trouve satisfaction dans sa propre perfection. Mais le bonheur, chez Montesquieu, n'apparaît pas comme un jeu, il ne se ferme pas sur lui-même, et l'esprit ne cherche pas son plus grand délice à jouir de sa propre mobilité. Il se tourne vers le monde historique et social, pour le *considérer* tout en s'oubliant lui-même : il forme des projets, il veut connaître et pouvoir. En s'attachant aux problèmes du monde objectif, il quitte la préoccupation de son bonheur personnel, et par ce détour il le réalise. Ce qui est projeté, soulignons-le, ce n'est pas le bonheur lui-même. L'activité heureuse oublie de penser au bonheur ; celui-ci n'est trouvé qu'après coup, au terme d'un effort qui n'avait pas le bonheur pour but : « *Pour être heureux, il faut avoir un objet* »... Voilà qui est essentiel. L'obtention de la félicité n'est possible qu'au prix d'un déplacement de l'attention vers ce qui n'est pas nous. Partir en quête du bonheur, le guetter passionnément comme une proie, c'est faire de lui une chose dont on pourrait s'emparer. Mais cette objectivation du bonheur est trompeuse : il s'évanouira à mesure qu'on croira le saisir. Montesquieu va même plus loin : le bonheur n'est pas dans le plaisir, il consiste « *dans une capacité aisée de recevoir le plaisir* ». Le vrai bonheur n'est pas voulu, il est reçu, il est réceptivité. La volonté, elle, doit s'appliquer à d'autres buts. (Le bonheur du style et de l'esprit, aux yeux de Montesquieu, est du même ordre : « *L'on n'a jamais de grâce dans l'esprit que lorsque ce que l'on dit est trouvé et non pas recherché.* ») Si Montesquieu a laissé inachevé le traité qu'il projetait d'écrire sur le bonheur, c'est évidemment parce que le problème était pour lui résolu à l'avance. Son esprit n'en était plus préoccupé, il était disponible pour un autre travail.

Ainsi le bonheur se présente-t-il à Montesquieu sous un double aspect : c'est d'une part une donnée immédiate ; il est offert en même temps que l'existence ; avant même de rien entreprendre, nous sommes déjà dans le bonheur, puisqu'il est à la base de notre vie. Mais d'autre part, c'est une joie de surcroît qui nous advient au delà de notre attente, à travers des activités qui jamais ne prétendent être une recherche de la félicité : c'est l'inattendu, c'est l'inespéré qui se révèle à nous tout à coup, et qui nous est donné parce que nous avons travaillé en nous oubliant et en portant notre attention sur autre chose... Nous sommes donc environnés de bonheur : il est déjà en deçà de tout ce que nous faisons, mais il est aussi au delà de toutes nos activités.

Connaître, parcourir du regard l'enchaînement des causes, « *étendre sa vue au loin* », déceler à travers la diversité des phénomènes l'universalité de la raison : telles sont les activités choisies par Montesquieu, et d'où son bonheur résultera tout naturellement. L'acte privilégié est celui du regard, d'un regard désireux d'accroître sa puissance en prenant possession d'un espace plus vaste et plus clair. Car la clarté est le plaisir d'un regard qui *éclaire* son objet pour le saisir mieux. Elle est témoignage de force avant d'être satisfaction logique. L'évidence est une joie du regard. La rationalité, la clarté — vertus classiques par excellence — ne définissent pas seulement un type de connaissance, mais aussi un type de bonheur ; elles assurent le déploiement lointain de la vue et la saisie de formes jusqu'alors indistinctes. L'idéal de netteté, tout en faisant appel à l'entendement et à ses schémas, reste ici marqué d'un coefficient hédoniste et volontariste. Le rationalisme est encore dans sa phase conquérante : la raison n'est pas seulement le réceptacle des idées certaines, c'est une énergie qui ne peut être comprise que dans son essor. Lorsqu'il s'agit du regard, Montesquieu ne prêche plus la modération : le bonheur consiste pour notre âme à « *fuir les bornes* », à « *étendre la sphère de sa présence* ». Dans l'*Essai sur le Goût*, l'exigence d'harmonie et de symétrie n'émane pas simplement d'une raison théoricienne soucieuse d'introduire partout son ordre : à travers cet ordre même, c'est un élargissement d'horizon qui s'opère, où l'œil dominera désormais un plus vaste spectacle, contemplant un royaume visible en pleine lumière, où rien nulle part ne se dérobe. L'instinct de maîtrise et de possession aura trouvé satisfaction.

Montesquieu meurt aveugle. Cet amoureux de la vision claire a vécu les dernières années de son existence dans une cécité presque totale. Mais il semble que l'infirmité n'ait eu pour effet, comme chez beaucoup d'autres, que d'affiner et de renforcer, au niveau mental, une fonction dont l'organe sensoriel périphérique a été atteint par la maladie. Anéantie la vue des choses, la vision des idées s'exalte, par compensation. « *On n'a jamais fini de voir* », disait Montesquieu à Rome. Le spectacle de l'histoire et des sociétés deviendra ensuite la seule scène où le regard pourra se porter : ici encore, on n'aura jamais fini de voir. La faculté de vision est restée la même, tout en changeant d'objet. Et rien n'indique mieux l'intensité du désir de clairvoyance chez Montesquieu que ces lignes d'un texte de jeunesse, — discours académique sur la *cause de la transparence des corps* : « *Il y a apparence qu'il y a des animaux pour lesquels les murailles les plus épaisses sont transparentes.* » L'on surprend ici la rêverie déraisonnable, la chimère d'un regard souverain, qui ne connaîtrait nul obstacle et pour qui l'univers serait un palais de cristal.

« *Un grand homme est celui qui voit vite, loin et juste.* » Voir vite, voir d'un seul coup d'œil, telle est la manière de Montesquieu. C'est ainsi que, dans la physique cartésienne, la lumière se déplace : instantanément. Par sa rapidité, l'esprit devient pour lui-même une constante surprise : or la surprise, précisément, « *plaît à l'âme par la promptitude de l'action* ». Et dans ce regard instantané, non seulement l'esprit saisit l'objet, mais il se transforme et se crée lui-même. A l'instantanéité de la connaissance correspond l'instantanéité d'une transformation de soi par soi : « *Un homme d'esprit connaît et agit de la façon momentanée dont il faut qu'il connaisse et agisse ; il se crée, pour ainsi dire, à chaque instant, sur le besoin actuel ; il sait et il sent le juste rapport qui est entre les choses et lui.* » Voici donc survenir, dans le même moment rapide, une vision précise de ce qui est au dehors de nous, et une sorte de reconstruction interne de nous-mêmes. En prenant conscience de la réalité extérieure, nous nous changeons. Tant qu'il n'était question que de nos penchants et de nos sentiments, Montesquieu donnait la primauté aux causes physiques : nous étions dépendants de notre climat, de notre nourriture, de nos fibres ; mais dès qu'intervient l'acte du regard, notre liberté nous est rendue, — et, prenant conscience du « *juste rapport qui est entre les choses et nous* », nous devenons capables de nous faire nous-mêmes : « *nous nous faisons l'esprit qui nous plaît, et nous en sommes les vrais artisans* ». Les causes morales sont victorieuses. L'explication par la sensation, accueil passif des impressions de l'extérieur, fait place à une explication par l'énergie spontanée de l'âme, par l'intelligence active, où nous sommes libres comme des dieux. L'idée est moderne : la science de la nécessité — le regard connaissant — nous libère de la nécessité ; pour le moins, il nous fournit les armes qui nous affranchiront de la nécessité. Dans l'acte du regard, l'esprit reprend triomphalement possession de son autonomie.

« *Quand j'arrive dans une ville, je vais toujours sur le plus haut clocher ou la plus haute tour, pour voir le tout ensemble.* » Cette brève note du *Journal de Voyage* nous apporte maintenant une précision essentielle : le désir de voir « *le tout ensemble* ». Le regard instantané veut être un regard sur la totalité, il veut tout embrasser. La plupart des œuvres et des projets de Montesquieu procèdent de cette ambition. Quand il imagine une « *histoire physique de la terre ancienne et moderne* », quand il considère le monde romain de sa naissance à sa mort, quand, dans l'*Esprit des Lois*, il entend analyser l'ensemble des conditions qui contribuent à déterminer le destin des sociétés et leur législation, — c'est toujours l'intention d'une vision totale qui anime la pensée de Montesquieu. Et quand, dans l'*Essai sur le Goût*, il voudra donner la raison pour laquelle « *on aime la symétrie* », il dira : « *elle fait un tout ensemble* ».

Ceci suppose, bien entendu, un monde qui se prête à la vue, et où nul objet ne serait, de soi, impénétrable au regard de l'homme. A l'hypothèse de la souveraineté de la vision instantanée correspond l'hypothèse de la visibilité immédiate du monde. L'homme veut conquérir par le regard, mais le monde ne demande qu'à se donner au regard, et en un seul instant. Ainsi en va-t-il de la nature, qui se livre au savant, à la façon d'une femme, — d'une vierge consentante, précise Montesquieu. Et la métaphore érotique, pour banale qu'elle soit devenue, vient ici nous rappeler la permanente présence du corps et de ses instincts — présence pleinement avouée et sans nulle honte — au sein même de l'ambition spirituelle de connaissance. « *La vérité semble quelquefois courir au-devant de celui qui la cherche ; souvent il n'y a point d'intervalle entre le désir, l'espoir et la jouissance.* » Et Montesquieu se demande même si son siècle n'a pas déjà vécu ce moment pathétique où la totalité se livre au regard connaissant. « *On dirait que la nature a fait comme ces vierges qui conservent longtemps ce qu'elles ont de plus précieux, et se laissent ravir en un moment ce qu'elles ont conservé avec tant de soin et défendu avec tant de constance. Après s'être cachée pendant tant d'années, elle se montra tout à coup dans le siècle passé...* » (Mais, ajoute Montesquieu, « *peut-être y a-t-il encore mille secrets cachés* ».) La science universelle apparaît donc comme possible et prochaine. La connaissance quasi totale de la nature a été l'affaire d'un instant : le temps d'établir la loi de la gravitation universelle ; les détails seuls restent à préciser. Depuis Galilée et Newton, le spectacle de l'univers est « tout à coup » devenu visible à l'esprit.

Mais ici surviennent quelques difficultés. La vision instantanée ne peut être qu'intuitive. Elle va d'un seul coup jusqu'à l'essence des choses. Elle est, nous dit Montesquieu, un acte de sentiment. Et c'est aux choses de l'âme qu'elle s'applique le mieux. « *Un homme d'esprit sent ce que les autres ne font que savoir. Tout ce qui est muet pour la plupart des gens lui parle et l'instruit. Il y en a qui voient le visage des hommes, d'autres, des physionomies ; les autres voient jusqu'à l'âme. On peut dire qu'un sot ne vit qu'avec les corps ; les gens d'esprit vivent avec les intelligences.* » Mais ce regard instantané, s'il est applicable à la connaissance des âmes, est-il encore applicable avec efficacité à la connaissance du monde physique ? La raison n'exige-t-elle pas en l'occurrence un langage discursif, c'est-à-dire un langage qui enchaînera soigneusement les faits aux faits, à la façon dont les géomètres lient leurs propositions les unes aux autres ? La méthode scientifique ne prétend jamais accéder à la totalité d'un seul coup d'œil, comme certains mystiques accèdent à Dieu. Elle a besoin de temps, pour assurer ses prémisses et prouver chacune de ses affirmations. Montesquieu écrit : « *Les méthodes des géomètres sont des espèces de chaînes qui les lient et les empêchent de s'écarter.* » Celui qui veut procéder à une description rationnelle de l'univers ne peut pas s'en tenir au regard instantané. S'il est vrai que la préférence intime et instinctive de Montesquieu va à ce mode de connaissance, il est clair d'autre part que la raison, dans la mesure où elle tient au principe de causalité, ne pourra procéder autrement qu'en énonçant la longue série des causes et des effets successifs qui se lient les uns aux autres pour former la texture du réel. Dès lors la vision instantanée doit céder ses droits à la patiente démonstration des enchaînements.

Mais, semble dire Montesquieu, c'est parce que nous n'avons pas su trouver la plus haute tour... Il ne renoncera pas à l'ambition d'une vision panoramique et instantanée. Ce qu'il cherche, c'est un lieu supérieur d'où il pourrait dominer l'enchaînement des phénomènes, concilier l'intuition instantanée et la succession des causes dans le temps. La Préface de l'*Esprit des Lois* nous dit comment, une fois posés les principes, tous les cas particuliers s'y plient « *comme d'eux-mêmes* ». « *Quand j'ai découvert mes principes, tout ce que je cherchais est venu à moi.* » Les principes, ici, figurent la plus haute tour, sous laquelle le spectacle de l'histoire, de façon magique et presque spontanée, s'ordonne et devient compréhensible :. « *J'ai vu les cas particuliers s'y plier comme d'eux-mêmes ; les histoires de toutes les nations n'en être que les suites ; et chaque loi particulière liée avec une autre loi, ou dépendre d'une autre plus générale.* » Vision surplombante, qui est en même temps la vision du lien des choses entre elles. Le désordre de l'*Esprit des Lois* — qui a fait le désespoir de tant de commentateurs — est l'expression de ce regard vertical qui, du haut de ses principes, voit d'emblée toutes les conséquences dans une simultanéité massive, comme la ville qui s'étale au pied de la tour. Tout est vu en même temps, mais aussi tout se tient, tout est lié. « *On ne regarde les parties que pour juger du tout ensemble.* » De cette hauteur, l'ordre de la démonstration importera assez peu, chaque détail étant situé dans un même ensemble. L'ouvrage pourra à la fois être un et discontinu : les aperçus de détail pourront se juxtaposer, sans lien apparent, mais ils se rapportent tous au même regard. L'expression de Montesquieu, que ce soit dans les *Lettres Persanes*, l'*Histoire véritable*, l'*Esprit des Lois* ou l'*Essai sur le Goût*, n'enchaîne jamais visiblement les faits, elle va de saillie en saillie, de vue instantanée en vue instantanée. Sur le clavier des idées, il ne joue pas *legato*, mais *staccato*. Cependant, il se flatte, dans les *Lettres Persanes*, de « *lier le tout par une chaîne secrète et, en quelque façon, inconnue* ». Et dans sa réponse aux observations de Grosley sur l'*Esprit des Lois*, tout en reconnaissant la discontinuité de l'ouvrage, il invite à nouveau à y rechercher un enchaînement secret : « *Ce qui rend certains articles du livre en question obscurs et ambigus, c'est qu'ils sont souvent éloignés d'autres qui les expliquent, et que les chaînons de la chaîne... sont très souvent éloignés les uns des autres.* » Il dit ailleurs : « *Dans les livres de raisonnement, on ne tient rien, si on ne tient toute la chaîne.* » Montesquieu est raisonneur, il veut avoir formé des chaînes, mais des chaînes invisibles, pour unir en pensée les moments que l'intelligence illumine d'une clarté instantanée. Au lecteur d'imaginer les « *idées intermédiaires* ». Montesquieu, lui, a beau craindre parfois de se perdre dans un « labyrinthe obscur », il n'est pas de ceux qui cheminent péniblement dans les venelles : il voit tout du haut de sa tour ; d'un point à un autre, son regard connaît la distance sans avoir aucun chemin à parcourir.

En décrivant dans sa portée la plus vaste le bonheur dont Montesquieu nous a fait confidence, nous n'avons nulle part rencontré les grands thèmes qui préoccupaient les hommes du XVII^e^ siècle : l'amour et l'ambition, sujets de réflexion des mondains ; la Grâce, souci des religieux. Rien n'est préfiguré, non plus, du bonheur « prométhéen » dont rêvera le XIX^e^ siècle. Montesquieu est heureux au milieu de cette « *Juristerei* » dont Faust est las dès la première scène du drame de Gœthe. Le plaisir du regard suffit à Montesquieu : l'homme « faustien », lui, ne trouvera la félicité qu'au moment où il aura transformé le monde.

L'amour. Nous ne savons presque rien sur la place que tint l'amour dans la vie de Montesquieu. L'écho de quelques aventures galantes apparaît dans les brouillons de ses lettres. En écrivant à Mme de Grave ou à la princesse Trivulce, il sait passer habilement du *vous* au *tu ;* en cherchant bien, on trouverait un ou deux témoignages de mélancolie passionnée, mais trop finement ciselés pour ne pas révéler, plus évident que le sentiment tendre, le plaisir de bien écrire. La tradition veut que le *Temple de Gnide* ait été un hommage de dévotion amoureuse (envers Mlle de Clermont, princesse du sang) et qu'il ait valu à Montesquieu « *beaucoup de bonnes fortunes, à condition qu'il les cacherait* » (Voisenon *dixit*). Lui-même nous assure qu'il n'a jamais eu de peine à rompre avec ses maîtresses, quand elles paraissaient se lasser de l'aimer. « *Il faut rompre brusquement avec les femmes : rien n'est si insupportable qu'une vieille affaire éreintée.* »

*Mlle de Clermont, inspiratrice du* Temple de Gnide.

C'est qu'il a, pour l'aider à se déprendre, ce regard exact qui décèle impitoyablement la vérité. Il lit à l'avance dans un visage ce qu'il deviendra en vieillissant ; il n'a d'imagination que pour démasquer les illusions de la beauté ; il cherche l'être vrai sous l'apparence charmante. Sa rêverie n'est jamais complice des envoûtements de la séduction, qu'il désarme par avance : « *C'est un sexe bien ridicule que les femmes... Il me semble que, dans les femmes les plus jolies, il y a de certains jours où je vois comment elles seront quand elles seront laides.* » Propos d'un homme qui ne subira jamais longtemps la passion... C'est pourtant lui qui écrit : « *Le cœur n'est jamais le cœur que quand il se donne, parce que ses jouissances sont hors de lui.* » Il est vrai que cette phrase apparaît dans une « *histoire orientale* » : *Arsace et Isménie.* Langage de fiction, soupirs destinés à l'agrément d'un conte héroïque. Il faut un décor hellénistique pour donner à l'expression littéraire de la passion son vrai climat, qui ne peut jamais être que fabuleux. Pour que les élans du cœur ne soient pas trop invraisemblables, il faut évoquer la Grèce des ciels de lit et des tapisseries. Cette Grèce, d'ailleurs, s'élargit curieusement en direction de l'Orient musulman, patrie tout ensemble du despotisme féroce et des voluptés polygames. Ces « Indes Galantes » sont une dépendance de Paphos. On y trouve seulement, pour compliquer le jeu amoureux, un peu plus d'obstacles et un peu plus de risques : les clôtures du harem sont bien verrouillées, et les eunuques sont des serviteurs assez exacts de la jalousie des époux ; destitués de l'humanité, ils sont un exemple terrible de la punition qui peut frapper les audacieux. Ce décor une fois planté, comment empêcher que tout n'y devienne pur divertissement ? Tout y prend la somptueuse inanité du ballet et de l'opéra. L'amour-passion, tendrement roucoulé, agrémenté de quelques fureurs, n'a d'existence visible que paré de ces costumes de fantaisie, qu'on sait d'avance être faux. Et, même au milieu de ce faste imaginaire, l'on n'ose plus représenter le dieu Amour sous sa forme fatale et avec sa flamme dévorante. Il n'est plus ce grave Amour par qui l'on mourait dans les larmes : il n'est qu'un enfant souriant aux yeux bandés, et dont le carquois orné de faveurs est rempli de mille fléchettes inoffensives qui seront dispersées au hasard. La mythologie de la passion se lasse déjà de représenter les grands sentiments : elle n'est plus qu'une mythologie du plaisir. Ainsi l'exige une société qui ne cache plus son parti pris de jouissance facile.

C'en est fait du sérieux avec lequel les hommes et les femmes du siècle précédent s'étaient conformés à l'exemple des héros de romans. Il n'y a plus d'amants modèles à imiter : on a perdu la faculté de croire en leur supériorité, l'analyse ayant démontré que leurs sentiments si nobles n'étaient qu'une métamorphose de l'amour-propre. Montesquieu écrit, en bon disciple de la Rochefoucauld : « *Il me semble que l'amour est agréable en ce que la vanité se satisfait sans avoir honte d'elle-même.* » Même remarque au sujet des quiétistes : « *Il est impossible d'avoir du sens et de ne pas sentir que l'amour-propre et l'amour d'union est une même chose ; et un amant qui veut mourir pour sa maîtresse ne le fait que parce qu'il s'aime, qu'il s'imagine qu'il goûtera le plaisir de sentir qu'il a fait de si grandes choses pour elle.* »... Et ainsi pour toutes les grandes légendes de la passion. Montesquieu n'accepte pas de se laisser duper. Les notes sur l'amour qui figurent parmi les *Pensées* attestent toutes une volonté de « démystification ». Selon le mythe de la passion, un cœur « fait pour l'amour » ne peut se donner qu'à un seul être « parce que l'objet qu'il aime n'a pu, ne peut et ne pourra être suppléé ». A quoi Montesquieu répond : « *Il est très rarement vrai que le cœur ne soit fait que pour un seul et qu'on soit fatalement destiné à un seul, et qu'un peu de raison ne puisse nous destiner à un autre.* »

« *Toute cette affaire est pleine de fictions* », dit le héros de l'*Histoire véritable*, à l'occasion de l'une de ses métamorphoses féminines. Remarque ironique, mais dont voudra profiter, en Montesquieu, l'historien. Chaque époque, chaque pays invente ses fictions morales privilégiées. Pourquoi ne pas les étudier objectivement ? La jalousie, pour ne citer qu'un seul exemple, est sujette à de prodigieuses variations : certaines sociétés l'ignorent complètement ; et, dans les lieux où elle existe, il est rare que les prétextes et les circonstances de la jalousie se retrouvent identiques. Sur ce thème, Montesquieu ébauche une *Histoire de la Jalousie*. Prendra-t-il la passion au sérieux, après en avoir si bien décelé la relativité dans le temps et l'espace ? Avec sa clairvoyance et son regard intrépide, il domine le sujet.

Est-ce froideur ? Peut-être ; mais laissons Montesquieu s'expliquer. Un premier motif qui le détourne de l'amour-passion, c'est l'exigence de l'universel. La passion nous en éloigne ; elle nous attache à un être particulier. Notre horizon s'arrête alors à notre « *intérêt propre* ». S'il y a culpabilité dans l'amour, aux yeux de Montesquieu, c'est par cette défection à l'universel, à la totalité raisonnable dont l'appel nous fait pleinement hommes et nous rapproche de Dieu. Manquer à cet appel, c'est déchoir vers l'animalité : « *Rien n'est plus près de la Providence divine que cette bienveillance générale et cette capacité d'aimer qui embrasse tous les hommes, et rien n'approche plus de l'instinct des bêtes que ces bornes que le cœur se donne lorsqu'il n'est touché que de son intérêt propre, ou de ce qui est autour de lui.* » Le seul amour légitime est donc cet amour « philanthropique » que notre cœur voue à l'humanité entière. Amour abstrait, dira-t-on. A quoi Montesquieu répond : amour qui ne nous abstrait pas de la totalité...

Les *Pensées* montreront partout un homme soucieux de limiter l'emploi abusif de la notion d'amour. « *Ceux qui disputent sur l'amour de Dieu n'entendent pas ce qu'ils disent, s'ils distinguent cet amour du sentiment de soumission et de reconnaissance pour un être tout puissant et bienfaiteur. Mais, pour de l'amour, je ne puis pas plus aimer un être spirituel que je ne puis aimer cette proposition : deux et trois font cinq.* » Au rapport d'amour du créateur et de la créature se substitue le rapport bienfait-reconnaissance. (Ce fait mérite attention : il pose au départ la nécessité du bienfait — c'est-à-dire de l'activité juste — allant de celui qui peut l'accomplir à celui qui ne peut que la recevoir. Les écrits de l'abbé de Saint-Pierre sont présents à la mémoire de Montesquieu.) En tout cela, notre amour n'est pas requis. Le vrai, le juste ne demandent qu'à être *reconnus* par notre esprit reconnaissant. Il vaut mieux que notre cœur ne s'en mêle pas. Montesquieu a dicté au moins trois fois cette pensée : « *J'ose le dire : si je pouvais me faire un caractère, je voudrais être ami de tous les esprits et ennemi de presque tous les cœurs.* »

Aux yeux de Montesquieu, l'homme n'est vraiment lui-même et ne déploie toute sa singularité que dans son esprit. Tandis que le cœur est *commun*, l'esprit est ce par quoi l'on se *distingue*. Dans le petit essai *De la Considération et de la Réputation*, qui date d'avant les *Lettres Persanes*, Montesquieu propose des idées qui sont par avance à l'opposé de celles que défendra Vauvenargues ;

on y trouve ces phrases : « *On fait plus de cas des hommes par rapport aux qualités de leur esprit, que par rapport à celles de leur cœur, et peut-être n'a-t-on pas grand tort : outre que le cœur est plus caché, il est à craindre que les grandes différences ne soient dans l'esprit et les petites dans le cœur ; il semble que les sentiments du cœur dépendent plus de l'économie générale de la machine qui dans le fond est la même chose, et que l'esprit dépende plus d'une construction particulière qui diffère dans tous les sujets... Les sentiments se réduisent tous à l'estime et à l'amour que nous avons pour nous-mêmes, au lieu que nos pensées varient à l'infini.* » C'est donc dans l'esprit que se manifestera la diversité ; c'est la pensée qui fera notre originalité. Une note du *Spicilège* affirme la même conviction, en termes plus nuancés : « *Nos pensées roulent toutes sur des idées qui nous sont communes ; cependant, par leurs circonstances, leur tour et leur application particulière, elles peuvent avoir quelque chose d'original à l'infini, comme les visages.* » Il n'y a alors nul paradoxe, quand Montesquieu nous confie : « *J'aime incomparablement mieux être tourmenté par mon cœur que par mon esprit.* » Ces paroles sont d'un homme qui sait que les tourments du cœur n'ont aucune importance.

De la grande mythologie amoureuse, il n'est resté que ce qu'il faut de fiction pour donner un peu d'esprit aux plaisirs du corps. L'idée de nature et de loi naturelle vient supplanter les idoles que la critique a renversées. Après avoir congédié les mythes de la passion et de la gloire, qui vouaient l'existence à quelque impossible au-delà, nous n'avons rien de mieux à faire que de nous accomplir selon la loi interne de l'humain. Le corps, du moins, est une certitude ; les mouvements de notre « machine » ne sont pas imaginaires. Ses lois ne peuvent être contrariées sans qu'il en résulte dégoût, angoisse ou maladie. On observe, dans les faits mêmes de la vie du corps, une raison et une sagesse constamment en action. Notre esprit ne déchoit donc pas à faire alliance avec le corps, en évinçant ce tiers gêneur et déraisonnable qu'on a coutume de nommer le *cœur* ou le *sentiment.* Entre cette valeur *singulière* (celle du corps) et cette valeur *universelle* (qui est esprit et raison), il n'y a guère de place pour les valeurs intermédiaires, un peu louches, du cœur et du sentiment. C'est que le corps, tout singulier qu'il est pour nous, n'en est pas moins animé par l'universel. L'esprit sait qu'au niveau du corps s'appliquent les lois générales des êtres vivants. La vie ne se soustrait donc pas à l'exigence de rationalité. L'organisme, centre des relations sensibles, et l'esprit, centre des relations intelligibles, ne sont séparés par nul désaccord : chacun tendant vers sa plénitude, ils ne se combattront jamais. L'esprit ne demande qu'à reconnaître et à légitimer la norme qu'il constate dans la vie *normale* du corps. Et notre corps, à condition que l'on respecte ses intérêts, et qu'on lui accorde ce qu'exigent ses appétits naturels, sera un principe régulateur et modérateur : « *Moi, je n'ai pour régime que de faire diète quand j'ai fait des excès, et de dormir quand j'ai veillé, et de ne prendre d'ennui ni par les chagrins, ni par les plaisirs, ni par le travail, ni par l'oisiveté.* » Vérité sans noblesse particulière, mais qui nous ramène à ce que nous ne pouvons refuser sans nier du même coup les conditions fondamentales de la vie humaine. La sagesse du corps veut la stabilité du milieu intérieur et la conservation des énergies. Il n'est pas jusqu'à notre raison qui ne puisse faillir à l'égard du corps. Les bêtes, avec leur seul instinct, « *conservent leur être mieux que nous,*— « *l'instinct, qui leur laisse toutes les passions nécessaires pour la conservation de leur vie, les privant presque toujours de celles qui pourraient la détruire. Au lieu que notre raison ne nous donne pas seulement des passions destructives, mais même nous fait souvent faire un très mauvais usage des conservatrices.* » Il est clair qu'une morale bourgeoise de l'activité productrice et du rendement positif est en train ici de supplanter l'ancienne morale aristocratique de la grandeur héroïque, dont le suprême éclat consistait dans la dépense inutile de la vie. Le principe de la conservation des énergies — à toutes fins utiles — s'oppose désormais au principe du sacrifice des énergies en vue de la gloire, c'est-à-dire au nom d'un *sacré*, et donc : pour rien.

La loi naturelle du corps sera la mesure du bien ou du mal. Montesquieu condamne également tout ce qui menace l'équilibre et la santé du corps : l'ascétisme comme la débauche. Si Montesquieu réprouve la débauche, c'est parce qu'elle entraîne une usure et que, multipliant des satisfactions que notre organisme ne peut indéfiniment accueillir sans fatigue, elle nous plonge dans le dégoût et la lassitude. « *La joie même fatigue à la longue...* » Tel est le sort des Sultans et des Sybarites : « *Bien loin que la multiplicité des plaisirs donne aux Sybarites plus de délicatesse, ils ne peuvent plus distinguer un sentiment d'avec un sentiment. — Ils passent leur vie dans une joie purement extérieure : ils quittent un plaisir qui leur déplaît, pour un plaisir qui leur déplaira encore ; tout ce qu'ils imaginent est un nouveau sujet de dégoût.* » Voilà des hommes dont l'âme est devenue immobile. Or le plaisir est mouvement, et c'est l'exigence du plaisir qui nous détournera de la débauche. — Mais les ascètes sont également immobiles, et pareillement coupables. Ceux qui se refusent tout ressemblent fort à ceux qui ne savent plus rien désirer parce qu'ils ne se sont rien refusé. Ils sont, les uns comme les autres, également improductifs, également séparés de la communauté, incapables de remplir les tâches humaines, devenus « asociaux » par l'excès du plaisir ou l'excès de la vertu : « *Les hommes étant faits pour se conserver, pour se nourrir, pour se vêtir, et faire toutes les actions de la société, la religion ne doit pas leur donner une vie trop contemplative.* » Aux yeux de Montesquieu, il y a une sorte de scandale à dilapider ses énergies à d'autres fins que sociales. Toute violence, tout excès, toute exigence extrême, impliquent un risque de rupture de la continuité vitale. Et pour Montesquieu, c'est à la fois la loi du plaisir personnel et la loi du rendement social qui veulent que la vie aille d'un rythme souple et dégagé, employant ses forces à produire de nouvelles forces, toujours en progrès sur elle-même, mais toujours modérée et pondérée en ses projets.

D'où ces idées viennent-elles à Montesquieu ? De son propre « sentiment de l'existence », assurément. Mais il ne faut pas oublier qu'au moment où le jeune Montesquieu prend possession de ses idées et forme sa vision du monde, il voit sombrer le règne de Louis XIV. C'est le moment où

toutes les valeurs exemplaires, incarnées autrefois par le souverain, sont marquées d'un signe d'échec et de dérision. Le Roi avait voulu vivre selon les grands mythes de l'amour-passion et de la gloire. Et puis il avait voulu être un grand roi chrétien. Il avait voulu faire de son existence la représentation perpétuelle de la grandeur, et il avait successivement pris tous les rôles que l'esprit de son siècle avait entourés, dans les romans et les poèmes, d'un respect sacré. Amant passionné et grand capitaine, il avait vécu selon l'idéal héroïque des mondains. Défenseur de la foi, il donnait l'exemple de la piété conquérante. Or voici qu'au terme de tant de faste amoureux, il épouse secrètement la veuve Scarron ; après tant de campagnes glorieuses, le vainqueur lauré voit ses armées et son peuple humiliés ; et après le coup d'éclat qui chasse de France l'hérésie, il se trouve avoir fait à lui-même un mal incalculable. Et c'est lui que Montesquieu visera en parlant de Justinien : « *Il crut avoir augmenté le nombre des fidèles ; il n'avait fait que diminuer celui des hommes.* » Le temps est venu où tout ce qui constituait la gravité d'un visage prend l'aspect de la comédie. Pour avoir voulu incarner et illustrer les valeurs mythiques, le souverain vieilli a donné la meilleure démonstration de l'inanité des grandeurs imaginaires.

Et, dans le *Dialogue de Sylla et d'Eucrate*, Montesquieu formulera sa pensée anti-héroïque de la façon la plus dense et la plus définitive : « *Pour qu'un homme soit au-dessus de l'humanité, il en coûte trop cher à tous les autres.* » Le président Hénault précisera : « L'héroïsme est le fléau du monde quand il n'est pas tempéré par la justice. »

Telle est l'image de l'ambition que Montesquieu réprouve. Cette réprobation atteint en fait la morale féodale de l'honneur. Mais, avec l'avènement de la monarchie absolue, l'honneur, en tant que valeur suprême et inconditionnelle, était devenu l'apanage exclusif du souverain. La classe noble, passant au rang de classe courtisane, n'a plus d'autre honneur que le service du roi. Le noble n'en appelle plus à sa propre conscience, mais à la satisfaction du roi, dont il attend récompense. Si Montesquieu renonce à l'idéal héroïque, qui voulait que l'homme se dépassât dans le sacrifice et l'*exploit*, c'est parce que cet idéal ne peut plus être vécu authentiquement. Le roi s'en est fait le seul représentant et le seul bénéficiaire ; il en a frustré tous les grands qui l'entourent. Et, entraînant la

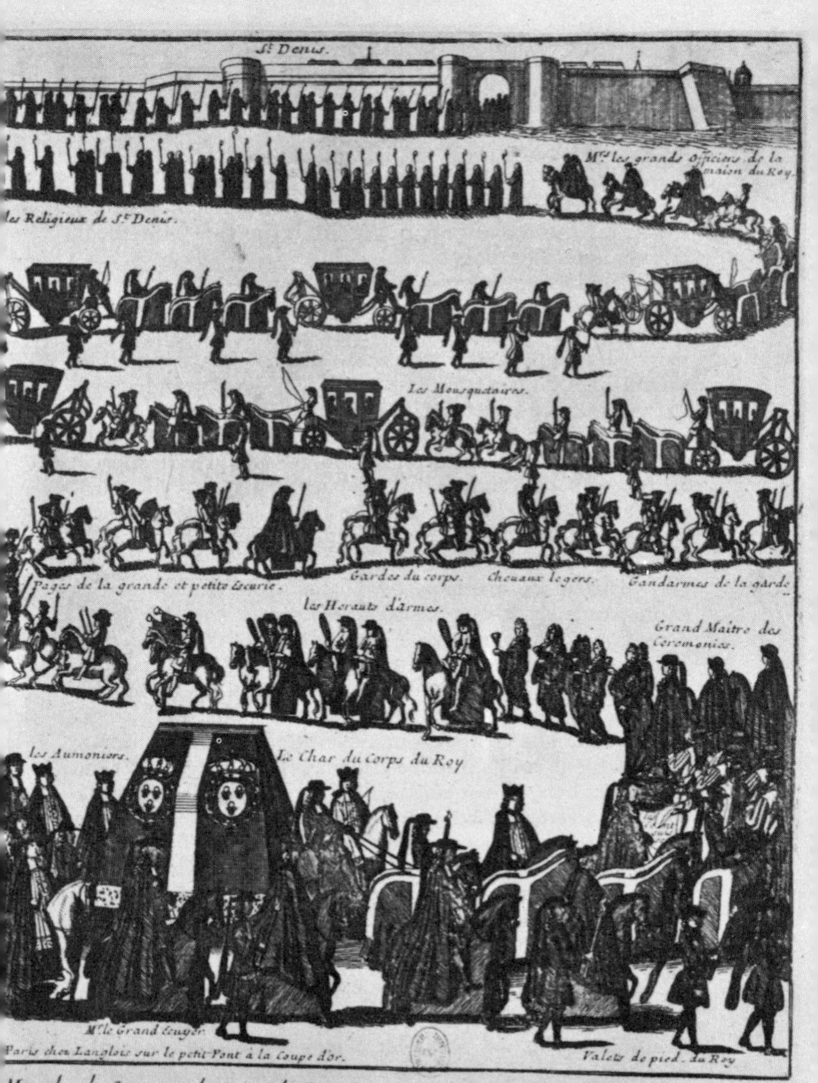


Marche du Convoye du Corps du Roy Louis XIV. du nom dit le Grand, Roy de France et de Navarre, conduit du Château de Versailles, à St Denis en Fance, avec les Roys ses ayeulx, le 9. Septembre 1715. Il mourut au Château de Versailles le 1er de Septembre 1715. agé de 77. ans, apres un regne de 72. ans 3. mois et 18. jours. étant né le 5. Septembre 1638. Ses Entrailles furent portées en l'Eglise Catedrale de Paris le 4 du mois de Septembre et son Cœur dans la grande Eglise des Iesuites de Paris le 6. du dit mois 1715.

nation entière à servir les intérêts d'honneur de son chef, il lui a imposé des sacrifices inutiles. Accaparée par un seul, cette morale de la grandeur a entraîné la servitude et la misère de tous. Le roi, en faisant partager à ses sujets le risque de destruction qu'entraîne l'alternative héroïque du « vaincre ou périr », leur faisait prendre conscience de la contradiction qui oppose l'intérêt général à l'intérêt de la personne glorieuse du souverain.

Mais, tandis que le roi donne sa suprême expression à la tradition féodale de l'amour courtois et de l'exploit chevaleresque (en l'ornant de mythologie antique), l'on voit naître à sa cour une forme nouvelle de l'ambition. Il ne s'agira plus de conquérir la réputation de la grandeur par l'acte héroïque et le sacrifice éclatant. Le pouvoir effectif appartiendra aux politiques et aux flatteurs. Hegel, analysant le sens de cette transformation, où le courtisan succède au héros féodal, écrit : « L'héroïsme du service silencieux est devenu l'héroïsme de la flatterie. » Bientôt la seule expression de la puissance sera la richesse, et le noble ne sera plus différent du bourgeois. Hegel dira encore que la « conscience noble » rejoint la « conscience vile ». Montesquieu sait que les richesses sont « *une voie sourde pour acquérir la puissance... Là où est le bien, est le pouvoir...* » La conséquence de cette situation nouvelle sera claire pour Montesquieu : chacun n'aura souci que de son intérêt particulier, chacun voudra faire fortune pour son propre compte. Rien ne viendra soutenir l'intérêt de la communauté, puisque le roi l'a oubliée et ne la représente plus, et que les particuliers ne songent qu'à s'enrichir : « *Dans les monarchies... chacun veut vivre pour soi et ne cherche que les commodités de la vie... Chaque homme est isolé. Il semble que l'effet naturel de la puissance arbitraire soit de particulariser tous les intérêts.* » Entre l'ambition d'honneur (qui est l'apanage du roi) et l'ambition d'argent (qui est l'appétit des grands, et bientôt de chaque *particulier*), il n'y a plus de place pour le souci de l'universel et du bien général. La monarchie a eu pour effet d'enfermer les hommes dans leur « moi » singulier, en leur faisant oublier toute communauté humaine : « *Dans les bonnes républiques, on dit : Nous, et, dans les bonnes monarchies, on dit : Moi.* » Le monarque absolu a fait de tous ses sujets des hommes *privés*. C'est à la monarchie que Montesquieu lance l'accusation que Marx adressera un siècle plus tard à la société

FEVRIER MARS AVRIL MAI JUIN JUILLET AOUST SEPTEMBRE OCTOBRE NOVEMBRE

*p.* 51 *et* 52 : *LE SYSTÈME DE LAW.*
« A Paris, je n'entends parler que de deux hommes : l'un qui n'avait rien, et qui est aujourd'hui très riche ; l'autre, un homme autrefois très riche, et qui aujourd'hui n'a rien ». *(Mes Pensées.)*

libérale : les hommes y sont « *privatisés* » et « *aliénés* ». Car en devenant des flatteurs, en recherchant la richesse, en quittant leur « *grandeur propre pour une grandeur empruntée* », les courtisans ont aliéné leur existence : l'essentiel de leur être ne leur appartient plus, il réside dans la bienveillance du monarque et dans ses largesses.

Montesquieu, lui, ne s'est pas fait courtisan, sinon occasionnellement et par bienséance : dans son discours de réception à l'Académie française, par exemple. Il a gardé dans ses papiers le projet d'un discours au roi ; on y lit cette phrase : « *Sire, vous m'aidez tous les jours à dire la vérité.* » Par une de ces synthèses qui appartiennent bien au génie de Montesquieu, l'attitude du courtisan se trouve ici exprimée dans sa quintessence. Mais l'œuvre de Montesquieu, dans sa totalité, dément cette phrase qui n'a pas été prononcée... Et Montesquieu n'aura que faire d'une richesse acquise par la flatterie ou la spéculation. Il a suffisamment de bien pour vivre dans le contentement : ses domaines lui offrent d'assez abondantes ressources. Et il n'exprimera que mépris pour ceux qui s'enrichissent par des intrigues de cour ou par la maltôte. L'apparition de cette classe de nouveaux riches est un scandale à ses yeux. La grande crise économique de la Régence a entraîné une redistribution de la fortune. Et Montesquieu, représentant d'une noblesse de robe traditionnellement possédante, s'indigne lorsque d'anciens laquais s'entourent d'un luxe qui était auparavant l'apanage exclusif des familles installées dans l'aisance par voie d'héritage légitime. Car elle est illégitime, la richesse dont ces nouveaux venus font ostentation. Ce propriétaire foncier, habitué à une économie d'achat et de vente de biens matériels, assiste avec inquiétude à la naissance du monde de la spéculation, — où le trafic de l'argent produit de l'argent, grâce à un quelconque *Système*. En l'occurrence, Montesquieu s'apitoie moins sur la misère du peuple que sur la ruine des anciens possédants : « *J'ai vu naître soudain, dans tous les cœurs, une soif insatiable des richesses. J'ai vu se former en un moment une détestable conjuration de s'enrichir, non par un honnête travail et une généreuse industrie, mais par la ruine du Prince, de l'État et des concitoyens.* » C'est la fin sombre de la partie occidentale des *Lettres Persanes*, avant le dénouement sanglant de la partie orientale.

Dans ce refus simultané de l'ambition de gloire et de l'ambition d'argent, la morale de Montesquieu manifeste l'une de ses tendances les plus caractéristiques. Ce qu'elle condamne dans l'ambition d'argent, c'est la méconnaissance d'autrui, c'est l'absence de toute volonté de dépassement, c'est l'égoïsme à court terme du « chacun pour soi ». Et ce qu'elle condamne dans l'ambition de gloire, c'est le dépassement, mais en direction d'une transcendance surhumaine, c'est la volonté de s'élever au-dessus des hommes, en perdant de vue, là aussi, l'existence d'autrui. L'amoralisme de l'idéal héroïque a frappé Montesquieu : « *L'héroïsme que la Morale avoue ne touche que peu de gens. C'est l'héroïsme qui détruit la Morale qui nous frappe et cause notre admiration.* » Montesquieu formulera une exigence toute civique, il invitera à un dépassement vers autrui, vers l'humain. « *Pour faire de grandes choses, il ne faut pas être un si grand génie : il ne faut pas être au-dessus des hommes ; il faut être avec eux.* »

Dépassement vers le prochain, et non vers le lointain : telle est la constante formule de la morale de Montesquieu. Pareillement son attitude envers la religion se définira, si la métaphore ici conserve un sens, comme un refus du lointain. Ce sont d'ailleurs les vues de beaucoup de penseurs de l'époque. Dans le *Spicilège*, Montesquieu transcrit et approuve : « *Milord Cornbury disait de ceux qui passent leur vie à raisonner sur les attributs de Dieu, au lieu de songer à tant de bonnes choses qu'on peut connaître : Il me semble voir un homme qui aurait, devant sa maison, une très belle vue, de beaux jardins ; devant lui, des bosquets ; aux côtés, une belle prairie ; devant lui, un coteau après, et dans le fond, un ciel bleu, dans lequel il ne pourrait rien distinguer. Cela fait une belle vue, mais s'il passait sa vie à regarder ce ciel bleu et à y distinguer quelque chose sans regarder ses jardins, ses bois, ses prairies, ses coteaux, ne serait-il pas ridicule ?* »

Ouvert sur le monde, le bonheur de Montesquieu veut et peut s'épanouir à l'intérieur des limites de la condition humaine. Il prétend y accéder par lui-même, sans aucun secours extérieur. La Grâce, qui descend vers nous du fond de l'au-delà, n'est pas nécessaire à ce bonheur. La nature et la raison, qui sont en nous, suffisent. Mais à la condition que nous n'attendions pas de plus grand bonheur que celui qui nous est destiné par la nature et la raison : « ... *Il faut bien poser le terme où le bonheur peut aller par la nature de l'Homme, et ne point commencer par exiger qu'il ait le bonheur des Anges ou d'autres Puissances plus heureuses que nous imaginons.* » Fontenelle avait dit la même chose : « Un grand obstacle au bonheur, c'est de s'attendre à un trop grand bonheur. » Et, quand on aura renoncé à ce trop grand bonheur, à ce bonheur des anges que la religion nous promet, on pourra se dispenser des pratiques de dévotion qui passent pour nous y acheminer. Cette joie que le croyant reçoit comme un don gratuit, cette félicité que le saint entrevoit comme la palme de son martyre, ces extases que le mystique obtient dans le sentiment d'une présence ineffable, — ce sont là toujours des relations avec le lointain (même quand le lointain est cherché à travers le prochain). Admettre, avec Pascal, que « l'homme passe infiniment l'homme », ce serait admettre que l'homme est un être des lointains. Mais Montesquieu se contente d'un bonheur qui voue l'homme à l'humain, selon ses forces humaines. L'idée de bienfait, en quoi Montesquieu fait consister l'essentiel de la vraie pratique religieuse, unit l'idée d'action à l'idée de bien. Cette action est action humaine, ce bien est le bien de l'homme : au moins peut-il être conçu et pratiqué comme une valeur universelle, tandis que la foi, dans son interprétation du lointain, s'oppose toujours à une foi rivale qui distingue d'autres vérités dans le même ciel bleu. La foi sépare et devient le prétexte de guerres absurdes, tandis que l'activité bienfaisante, éclairée et précédée par la connaissance rationnelle, nous consacre à l'universel.

La tentation de l'immanence est grande : Montesquieu s'est longuement attardé à formuler les « *objections que peuvent faire les athées* ». Il veut leur résister. Il tient à n'être pas pris pour spinoziste. Mais ne suit-il pas l'esprit du *Traité théologico-politique* ? La foi, cessant d'être le fondement du savoir, devient objet de connaissance. Les différentes religions vont être considérées désormais dans leur contexte sociologique, dans leurs liens nécessaires avec le climat et le genre de vie des habitants. Montesquieu aura beau protester, et assurer qu'il ne veut nullement porter atteinte aux dogmes de la religion chrétienne: les Jansénistes, les Jésuites, la Sorbonne, la Commission de l'Index ne s'y tromperont pas.

Au reste, il laisse à d'autres le soin d'attaquer de front la religion. Il se dit croyant respectueux, il affirme que la religion est nécessaire au peuple (on discerne, dans cette affirmation, passablement de mépris pour l'entendement du peuple). Mais il attaquera le christianisme par voie détournée : en confrontant ses dogmes, impartialement, avec ceux de la foi musulmane, d'où il résultera que les musulmans ont d'égales bonnes raisons de traiter les chrétiens d'infidèles ; les religions rivales, vues d'un regard lucide, s'annulent au contact les unes des autres. De plus, Montesquieu prouvera qu'on peut expliquer l'histoire sans recourir un seul instant au Dieu des chrétiens comme principe d'interprétation ; il démontrera la malfaisance politique du monachisme, des richesses de l'Église ; il protestera contre les injustices monstrueuses de l'Inquisition. Mais l'affirmation de l'humain ne s'accompagne chez lui d'aucune révolte ostensible contre Dieu. Comme beaucoup de ses contemporains, il n'accuse que les mauvais prêtres, qui se réclament de Dieu pour dissimuler une soif de puissance tout humaine. Si l'on voit quelquefois Montesquieu s'exprimer à la manière des libertins, par le blasphème, on ne le verra jamais, en revanche, attaquer Dieu pour exalter l'humain. Le temps du surhomme n'est pas encore venu. Montesquieu se passe du Christ, car il n'éprouve pas le besoin d'un médiateur entre Dieu et lui. En déiste sincère, il n'a besoin que d'une Cause première, qui lui garantisse la véracité et la constance des lois de la nature. De cette Cause première à l'instant présent, les effets ont suivi les causes selon des lois immuables, une chaîne sans rupture relie toutes choses à travers le temps. Il n'y a pas de péché originel, aucune chute qui demande contrition et réparation. La « *nature des choses* » atteste la continuité de la raison, qui est continuité de l'intention divine. Nous n'avons aucun motif de nous croire abandonnés, le monde de Dieu n'est pas ailleurs. Montesquieu note dans ses *Pensées* : « Les deux Mondes. — *Celui-ci gâte l'autre, et l'autre gâte celui-ci. C'est trop de deux. Il n'en fallait qu'un.* »

Montesquieu en reste donc à ce monde-ci. C'est le monde où l'on vit et où l'on meurt. C'est le monde aussi où rien ne dure. Toute prospérité et tout bonheur y sont toujours menacés. « *Dans les empires, rien n'approche plus de la décadence qu'une grande prospérité... La prospérité des lettres les fait tomber ; il en est comme de la prospérité des empires : c'est que les extrêmes et les excès ne sont pas faits pour être le cours ordinaire des choses.* » C'est le thème des *Romains : Tolluntur in altum, ut lapsu graviore ruant.* Et l'Angleterre elle-même, si libre et modérée qu'elle soit, devra mourir : « *Comme toutes les choses humaines ont une fin, l'État dont nous parlons perdra sa liberté, il périra. Rome, Lacédémone et Carthage ont bien péri.* » Oui, ceux mêmes qui se seront gardés de l'excès et de la démesure sont promis à la mort. Les forces de conservation ne sont jamais efficaces jusqu'au bout. « *Je n'ai plus que deux affaires ; l'une, de savoir être malade : l'autre, de savoir mourir.* » Mais il n'y a point là de désespoir : « *Nous pouvons encore nous faire des biens de nos maux* »... Montesquieu sait qu'en optant pour l'humain, il accepte tous les risques de la condition humaine. La condition mortelle et temporelle de l'homme ne porte la marque d'aucune malédiction. La vie passe, mais le bonheur peut être comme fondu dans le temps qui passe. Bien plus, aux yeux de la raison, qui affirme que les lois de la nature sont éternellement valables, le temps ne saurait être une altération essentielle. Tout change, mais la loi du changement est immuable. « *Chaque diversité est* uniformité, *chaque changement est constance.* » Cela est vrai aussi de l'histoire, quand on la contemple du sommet de la plus haute tour : « *Les occasions qui produisent les grands changements sont différentes, mais les causes sont toujours les mêmes.* » Et l'esprit appliqué à connaître les causes accède à l'éternel, puisqu'il s'attache à la *loi* au travers du changement.

Tel est donc ce bonheur calme — Paul Hazard l'appelle un « bonheur de sécheresse » — où Montesquieu a résolu de vivre. Ce bonheur lui a été aisément praticable, puisque, d'emblée, il a renoncé à l'inaccessible. Ni le dieu lointain, ni le moi profond, ni la mystérieuse distance de l'être aimé, ne lui ont fait éprouver leur appel. Le monde n'a pas pour lui de face nocturne ; il n'y a rien qui par principe doive demeurer caché. Certes, il y a des vérités qui sont dans l'ombre, mais elles ne demandent qu'à être dévoilées. Lorsqu'il rencontre l'obscur, il y reconnaît déjà l'imminence d'une clarté : la raison y décélera sans tarder des structures et des lois rationnelles. Et s'il est vrai que nous portons souvent en nous le vague, le désordre, la sottise (tares imputables à la mauvaise éducation de l'esprit, mais surtout aux élans intempestifs du cœur et des sentiments), la raison ne se voit pourtant opposer aucun adversaire sérieux, aucun irrationnel consistant qui lui résiste ou qui l'induise en erreur. Elle peut s'avancer à la rencontre des choses, en toute sécurité. Le monde lui est *accordé* (dans la double acception de ce terme).

On ne perd donc rien en se limitant à l'accessible, puisque tout est accessible. A la condition de renoncer à rêver la profondeur secrète des choses, tous les phénomènes de l'univers peuvent être décrits par la science humaine. Newton, le premier, en a donné l'exemple : peu lui importait d'expliquer ce qu'est l'essence de la pesanteur, il lui suffisait de décrire la loi générale selon laquelle la masse se comporte, d'un bout à l'autre de l'univers. En ne cherchant plus à forcer le secret des choses, jalousement fermées sur leur essence, l'esprit ne se soucie que de trouver la formule la plus rationnelle des relations manifestes que les choses entretiennent. Il a désormais affaire au monde de l'étalement et de la juxtaposition : rien n'y est enveloppé, il n'y a pas d'infrastructure mystérieuse. La loi qui formule les relations scientifiques distingue les forces et les énumère les unes à côté des autres, selon la façon dont elles se composent. L'univers ainsi se déploie...

On dira, certes, que cet adversaire de la démesure fait preuve d'une confiance excessive et d'un orgueil immodéré lorsqu'il offre l'univers entier en cadeau à la raison humaine. Son optimisme est à peine tempéré par quelques inquiétudes : « *Nous avons été bien loin pour des hommes* ». Et quel usage ferons-nous de ce savoir qui nous livre le monde ? « *Je tremble qu'on ne parvienne à la fin à découvrir quelque secret qui fournisse une voie plus abrégée pour faire périr les hommes, détruire les peuples et les nations entières.* » Mais, par la plume d'Usbek, le moraliste optimiste répond victorieusement à ces objections : « *Si une fatale invention venait à se découvrir, elle serait bientôt prohibée par le droit des gens et le consentement unanime des nations ensevelirait cette découverte.* » Voilà donc toutes les inquiétudes apaisées. Notez cependant qu'ici Montesquieu n'a mis en question — et pour un instant seulement — que les conséquences pratiques de la science. Quant à la possibilité même du savoir, elle demeure hors de doute. La connaissance théorique de l'univers peut et doit être totale. Que l'intelligence augmente indéfiniment son bien, il n'y a là, aux yeux de Montesquieu, aucune démesure. C'est affaire de morale et de droit, d'éviter que les applications de la science ne soient mises au service de la violence. S'il y a quelque outrance dans cette ambition de savoir, c'est une outrance froide et sans exaltation. Elle sait que sa puissance est au prix de son calme. Vers quelque objet que le regard se tourne, il ne veut être ni fascinant, ni fasciné. Rappelons ici l'image des murailles transparentes auxquelles Montesquieu faisait tout à l'heure allusion : elles n'arrêtent pas le regard, elles se laissent traverser. Pour Montesquieu, contempler, ce n'est pas s'abîmer dans les choses. Son bonheur aux yeux ouverts ne connaît pas la tentation de l'extase. Et si haute que soit sa tour, il ignore le vertige. Tout objet observé est pour lui le chemin vers un autre objet. Montesquieu ne s'avance vers aucun lieu qui soit *sans retour*. (Ce qu'on ne pourra dire ni de Pascal, ni de Rousseau, ni des plus grands romantiques, ni des initiateurs du langage poétique moderne.) La possibilité du retour est l'un des pouvoirs essentiels de la raison, qui ne cesse de se reprendre et de se déplacer. Montesquieu trouve son bonheur en lui-même, mais il le trouve dans la mesure exacte où il s'occupe d'autre chose que de lui-même ; il trouve son bonheur dans la contemplation du monde, mais dans la mesure exacte où l'engagement du regard n'entraîne pas l'engagement du sacrifice. Montesquieu a résolu de vivre pour la compréhension, pour la sagesse, et non pour un héroïsme ou une sainteté qui l'entraînerait à rompre avec la vie. La vérité elle-même, à laquelle Montesquieu consacre tout son souci, ne paraît pas réclamer si impérieusement qu'il la défende jusque sur le bûcher. La vérité, en fait, n'est-elle pas au service de la vie ? Montaigne disait déjà : « Je suivrai le bon parti jusques au feu, mais exclusivement si je puis. » Et Montesquieu : « *Je voudrais bien être le confesseur de la vérité, non pas le martyr* »... Mais sur ce point, Montesquieu hésitera. Il écrit ailleurs : « *La vérité n'a point de clients, elle n'a que martyrs.* » Ambiguïté révélatrice !

Montesquieu se trouve ici en présence de ce qui, à ses yeux, s'est substitué aux formes anciennes du sacré : la vérité est un nouveau sacré, même si son expression est toute laïque. Et quel que soit son désir d'affirmer par dessus tout la valeur de la vie, Montesquieu a perçu cette exigence du sacrifice qui est la marque même du sacré. Il l'a perçue · il n'y répond pas. Ici s'arrête Montesquieu.

« *Il n'y a point de mot qui ait reçu plus de différentes significations et qui ait frappé les esprits de tant de manières, que celui de liberté.* » Cela est vrai à l'intérieur même de l'œuvre de Montesquieu. On voit s'y développer, simultanément ou successivement, plusieurs sens de l'idée de liberté. Ils paraissent quelquefois contradictoires. Ils représentent, en fait, les étapes et les moments successifs d'une dialectique qui, sans avoir jamais été parfaitement explicitée, anime d'un bout à l'autre l'œuvre de Montesquieu. Chacun de ces moments propose une image provisoire de la liberté. Au terme seulement de cette progression, nous verrons apparaître la liberté politique, telle que Montesquieu la décrit dans l'*Esprit des Lois*.

Le premier acte de l'intelligence est libérateur. Connaître, c'est d'abord se libérer de ce qui empêche de connaître, c'est compter pour nuls les préjugés, les certitudes traditionnelles, les prestiges. Le mouvement négateur de la critique est libération ; il importe d'abord d'arracher les masques, de couvrir de ridicule les fanatismes et les superstitions. C'est le moment de l'ironie et des *Lettres Persanes*. L'étonnement de Rica et d'Uzbek oblige les Français à s'étonner à leur tour. Ces usages, ces coutumes, ces croyances paraissent insensés aux visiteurs orientaux ; mais quel est pour nous leur sens et leur raison ? Leur fondement est-il solide ? La relativité du sens et du non-sens éclate à nos yeux. Et prendre conscience de cette relativité, c'est rompre nos chaînes, c'est cesser d'être dupe. Le possible s'ouvre à nous : ce qui est disposé ainsi pourrait l'être autrement. Tout ce que nous respections, tout ce qui réclamait notre foi, devient l'objet d'une connaissance *détachée*

# LETTRES PERSANES.

TOME I.

A AMSTERAM,
Chez PIERRE BRUNEL,
sur le Dam.

M. DCC. XXI.

et désormais libre. Le *préjugé* qui nous asservissait a dévoilé sa vraie nature : imaginaire, c'est-à-dire *nulle* aux yeux de la raison. Nous allons enfin pouvoir juger clairement : le jour commence, nous nous éveillons et les songes anciens n'obscurcissent plus notre vue. Ayant *dégagé* de nous-mêmes ce qu'il y a de plus clair, de plus libre et de plus inaltérable, nous serons ce regard, rien que ce regard, pour nous faire spectateurs de ce qui fut notre lourde gravité, notre vaniteuse et sotte futilité. Une réflexion devient possible, dans laquelle notre civilisation se voit de loin, comme si elle était brusquement devenue étrangère à elle-même. Ayant découvert que les autres civilisations et les autres croyances sont, au même degré, légitimes, elle est *devenue* à son tour *une autre* pour elle-même. Elle ne peut plus vivre tranquillement sa certitude traditionnelle, depuis qu'elle sait que la certitude des autres n'est ni plus mal ni mieux fondée que la sienne. Vérité dont l'une des premières conséquences est d'inviter à la tolérance. Mais qui ne voit cette autre conséquence, plus importante encore : ainsi mises au contact les unes des autres, les certitudes contradictoires s'annulent algébriquement. Elles sont, les unes et les autres, vaincues dans le combat qui les oppose : elles ont toutes raison, elles ont tort ensemble.

Ainsi la société de la Régence apparaît comme un monde masqué. Tout y est feint : les hommes croyaient s'occuper sérieusement de choses sérieuses. Et soudain ils se voient tels qu'ils sont : des comédiens. La religion : cérémonies. La majesté royale : un art de magie (« *ce roi est un grand magicien* ») ; l'esprit : des grimaces apprises. Partout des masques. Quoi d'étonnant à cela ? Sitôt que le regard conteste la légitimité des apparences, tout lui apparaît masque. L'ironie est partout à l'affût du mensonge et de l'illusion, qui lui sont douces proies. Elle se divertit des contradictions de l'être et du paraître. Nulle part Montesquieu n'est si magistral que lorsqu'il s'agit de montrer le néant réel de « *l'homme qui représente* »... Mais, pour faire tomber les masques de l'hypocrisie et des préjugés, il a fallu faire entrer dans Paris des personnages masqués. Le travesti persan de Rica et d'Uzbek sert, en quelque façon, de « réactif » : une sorte de contagion fait que les faux Persans propagent le sentiment du *faux* ; dès qu'ils s'avisent d'examiner une de nos certitudes, elle nous devient aussitôt hypothétique, comme si leur regard avait le don de transformer ce qu'il rencontre : une fois vus par ces étrangers, les objets n'ont plus pour nous la même consistance : ils sonnent faux.

La bonne nouvelle qu'apportaient les *Lettres Persanes* aux lecteurs européens de 1721 était celle de l'universelle facticité. Les hommes sont tels que leurs habitudes, leur climat, leur éducation les ont faits. Quand les Persans iront dans Paris demandant le pourquoi de chaque coutume et de chaque rite, l'important ne sera pas la réponse à ce pourquoi, mais le fait tout simple que l'on puisse demander pourquoi. Et cette simple question dévoile instantanément l'absurdité des croyances et des rites, qui ne subsistaient que parce qu'on ne s'était jamais avisé d'en demander le pourquoi. Il y a là un : *comment peut-on être Français ?* qui répond implicitement au : *comment peut-on être Persan ?* Et voilà qui semblera étrange : l'épreuve des masques est une épreuve de la vérité. Il faut faire entrer des personnages costumés et masqués pour que la vraie nature des hommes se *démasque* en leur présence. Ainsi, dans *Cosi fan Tutte*, l'arrivée des fiancés costumés en seigneurs orientaux, rendant éclatante la dérision des serments et des promesses, révèlera la vérité cachée de l'*inconstance* ; c'est en jouant la comédie qu'ils découvrent que la foi jurée sérieusement n'était que comédie. Montesquieu fait de même : sa fiction des Persans vient démontrer que l'on vit de fictions. L'Orient réel n'est pour rien là-dedans. C'est un spectacle que les hommes d'Occident se donnent pour se libérer des valeurs traditionnelles de l'Occident.

A travers ce persiflage universel, l'esprit prend du moins possession de sa propre évidence. Il est pouvoir de contestation. Il est là pour dire *non* à ce qui est, pour frapper de dérision (c'est-à-dire de mort) la croyance qui prétend s'imposer ou subsister par les seules forces de l'autorité et de l'antiquité. C'est là, mais élargie cette fois à la réalité sociale, l'opération de la *table rase :* destruction d'un monde incohérent, dans l'attente d'une reconstruction fondée sur de nouveaux principes de cohérence. Nous verrons, en effet, qu'il existe des valeurs et des exigences implicites, au nom desquelles l'esprit libre s'oppose au monde. Mais pour l'instant ce n'est encore qu'à travers la violence de son refus que Montesquieu exprime sa pensée positive.

Une remarque doit être ici ajoutée. Quand les romantiques, et en particulier Hoffmann, développeront le thème de l'ironie libératrice, ils utiliseront à leur tour le symbole du masque. Le héros de la *Princesse Brambilla* doit se travestir de façon grotesque pour se délivrer de son mensonge et lire enfin son visage vrai dans un miroir très pur. L'ironie, par laquelle on se sépare de son mauvais sérieux, est la condition d'une renaissance intérieure. Ce que fait Montesquieu est à la fois la même chose et tout autre chose. L'ironie de Montesquieu vise uniquement les comportements sociaux, la vie publique dans son aspect moral. Il se met en situation d'étranger en face de son pays et non en face de sa propre vie intérieure. L'ironie, chez lui, ne traduit pas un approfondissement du moi ; elle est impersonnelle.

C'est qu'elle vise à purifier non la conscience subjective, mais les « représentations collectives ». Le moi, la dimension intérieure de l'homme sont passés sous silence : ils ne sont désignés qu'indirectement, à travers les réalités sociales dont la vie personnelle est toujours solidaire. L'ironie « extravertie » de Montesquieu est à l'opposé de l'ironie « introvertie » des romantiques. Montesquieu regarde le monde, il observe son pays : il n'est pas une conscience réfléchie sur elle-même.

Cette liberté négatrice, telle que l'exerce Montesquieu, n'est pas illimitée. Elle est, certes, cette puissance de dire non, sans origine et sans attache apparentes. Elle formule toujours sa critique sur le ton de l'amusement et du plaisir ; rarement s'y mêle un sentiment amer. Mais qu'advient-il une fois la critique formulée ? Dans sa première impatience, l'esprit semble avoir décidé de ne plus rien attendre de ce monde absurde, de ces hommes ridicules ou méprisables, toujours soumis au joug qui les asservit, toujours mystifiés, sottement consentants à ce qui les abuse. Il n'est surtout pas question de changer quelque chose au train de ce monde. Qu'il aille comme il va, sa déraison est nécessaire à notre raison, qui n'en sentira que mieux le plaisir de s'élever au-dessus de lui.

Nous sommes même un peu complices de son désordre, sans lequel notre étonnement et notre plaisir de nier manqueraient d'aliment. Cette négation se contente d'être une négation « spirituelle ». C'est parmi les *idées*, les préjugés, les valeurs de fiction qu'elle fait table rase. Mais elle n'invite pas à intervenir dans le monde effectif, à renverser par la révolte cette Royauté et cette Église dont elle a si mortellement atteint le prestige idéal. Le pouvoir négateur se limite à la sphère du langage. L'intelligence est satisfaite ainsi : elle plane dans sa spontanéité négatrice, elle jouit de sa mobilité et de sa vigilance. Sa critique ne respecte rien, mais elle a les mains pures. Elle n'a fait qu'établir entre les esprits intelligents une complicité dans l'irrespect. Elle n'inquiète les autorités politiques que dans la mesure où elle discrédite les valeurs fiduciaires qui constituent la source mystique de l'autorité. Quand elle imagine les conditions d'une société plus juste, elle ne la décrit pas au futur, comme un ordre possible et qui sera réalisé si nous y employons nos forces ; elle la situe dans le passé fabuleux des Troglodytes. L'Utopie n'aura pas lieu, elle est derrière nous... Ayant déchiffré le monde, le regard libre a accompli sa tâche : comment ferait-il pour convertir le monde à sa liberté ? Et surtout, comment cette liberté, qui est celle du regard ironique, pourrait-elle descendre dans le monde, s'y insérer, devenir réalité politique ? La pureté, l'universalité du regard est au prix de cette abstention. Cette liberté, si elle garde les yeux ouverts sur le monde historique vivant, n'en est pas moins une sécession au sein de l'intelligence, assez loin de toute action libératrice qui l'engagerait à lutter de front contre les puissances qu'elle a persiflées.

Mais, il vaut la peine de le remarquer, il y a pourtant une révolte dans les *Lettres Persanes*. Seulement cette révolte est transportée dans l'univers de la fiction romanesque. Une sorte de transfert des énergies s'opère. Il y a en France des abus et même du despotisme. Ces scandales sont dénoncés : mais il faut craindre les bouleversements. On conseille de n'y pas trop toucher (ou de n'y « *toucher que d'une main tremblante* »). C'est dans la lointaine Ispahan que Montesquieu fait régner le despotisme dans toute sa violence, c'est dans la Perse imaginaire que Montesquieu transporte sa critique la plus indignée. C'est là qu'éclatera la rébellion. Roxane écrit à son maître : « *Comment as-tu pensé que je fusse assez crédule pour m'imaginer que je ne fusse dans le Monde que pour adorer tes caprices ? que, pendant que tu te permets tout, tu eusses le droit d'affliger tous mes désirs ? Non ! J'ai pu vivre dans la servitude, mais j'ai toujours été libre ; j'ai réformé tes lois sur celles de la Nature, et mon esprit s'est toujours tenu dans l'indépendance.* » Ce langage pourrait être adressé à un despote d'Occident. Il l'est en effet, indirectement, par voie d'analogie. Renonçons ici, une fois pour toutes, à reprocher à Montesquieu d'avoir fait peu de cas de la vraisemblance dans sa peinture des mœurs orientales. De même que la description du despotisme oriental devient le type symbolique de toute forme de pouvoir absolu, le suicide de Roxane prend sa signification complète dès qu'on le considère comme le geste désespéré d'une volonté de liberté qui se heurte à l'échec et ne peut s'accomplir dans la réalité. Seulement cette conclusion tragique aura été déplacée de la partie sociale et politique à la partie érotique du livre. Et l'intérêt de cette partie orientale se révèle, par cet aboutissement violent, plus grand que la tradition ne le veut. A l'opposé de cette si joyeuse et si vive liberté du regard qui plane sur le spectacle du monde, nous trouvons dans le sérail d'Ispahan l'exemple parfait de la servitude : les femmes y sont traitées comme des objets. Les eunuques, privés de leur volonté propre et réduits au rôle d'instruments, n'ont guère que la possibilité de se faire bourreaux à leur tour ; leurs maîtres leur délèguent une part importante des droits de possession : la violence et la terreur. S'ils ne peuvent plus prétendre aux plaisirs du corps, ils ont du moins le pouvoir de pénétrer par la peur dans la conscience d'autrui. Et la tristesse du maître vient compléter la savante hiérarchie d'esclavages qui préserve la chasteté de ses femmes et lui en assure la propriété absolue. Personne n'est heureux, à commencer par le seigneur. Pourtant, c'est le même homme qui exerce par ailleurs, souverainement, la liberté de l'intelligence, et avec qui Montesquieu s'identifie alors le plus souvent. Faut-il ici accuser Montesquieu d'avoir mal ajusté les deux parties de son ouvrage et d'avoir articulé tant bien que mal — pour le délassement du lecteur — la fiction orientale un peu licencieuse et l'examen plus sérieux de quelques grands problèmes ? La contradiction vaut pourtant qu'on y prenne garde. Elle symbolise

Mahemet Reza Beg.
Ambaſsadeur des Königs von Perſien,
an den Königl: Franzöſiſchen Hoff. 1715.

en effet la contradiction que comporte toute intelligence « détachée », toute « pensée libre » qui s'ébat au-dessus de l'ordre tyrannique du monde, mais en s'abstenant d'y rien toucher. Par son abstention, elle laisse aux tyrans les mains libres, et se fait plutôt leur historiographe que leur ennemie. Le lecteur des *Lettres Persanes* ne peut s'empêcher de supposer, de la part de Montesquieu, quelque plaisir complice à être spectateur des événements du harem, — bains, déshabillages, fessées, larmes, etc. Le regard indiscret sur les mystères du harem est la contrepartie du regard libre sur la civilisation française. Les images « voluptueuses » sont décrites avec trop de complaisance pour ne pas correspondre aux convoitises imaginaires de Montesquieu. Or cette rêverie érotique commence par refuser la liberté à autrui, la femme y est traitée en simple objet ; elle n'a de prix qu'à titre de chose possédée, que l'on garde ou que l'on abandonne à volonté, et qu'une autre peut remplacer au besoin. Le libertinage, qui traite autrui en objet et nie en lui la liberté, apparaît comme l'envers de la liberté de l'intelligence détachée. Le libertin, qui s'est affranchi de toute crainte et qui n'est plus dupe d'aucun préjugé, ne voit plus rien qui l'empêche d'asservir les autres à ses plaisirs. Il s'est libéré en se *désabusant* lui-même, mais sans chercher à libérer les autres. Il s'est fait regard désabusé et n'a plus devant lui que des objets. Il est le seul homme libéré, il a le droit de mépriser les autres et d'en abuser à son tour... La tendance au libertinage est plus qu'indiquée dans les *Lettres Persanes*. Mais ce n'est là qu'une tentation momentanée et ce n'est pas chez Montesquieu, on le sait, que le libertinage atteindra son expression la plus complète et la plus violente ; il reste ici trop souriant, il est comme atténué par la fiction ; d'autres se chargeront de le développer jusqu'au degré extrême de la solitude et du désespoir. Au reste, la crise finale des *Lettres Persanes* vient démontrer le caractère insoutenable de la tyrannie du plaisir. Les forces de révolte accumulées se déchaînent. La grande idée de Nature vient à leur secours, et déjà apparaît l'alternative violente de *la liberté ou la mort* qui entraînera les hommes de la Révolution. Montesquieu, ici, a cessé d'être le complice d'Uzbek. En définitive, le livre aboutit, sur le plan érotique, à la lutte ouverte du maître et de l'esclave, et à la défaite du maître : la puissance du maître despotique s'évanouit, dès l'instant où l'esclave se soustrait à son autorité par la révolte et la mort. L'esclave a découvert la révolte, et dès lors, il détient une liberté que nul ne peut lui enlever.

Ce moment de la liberté négatrice est aussitôt dépassé par Montesquieu. Nous n'en avons développé les différents aspects que pour mieux pouvoir montrer, par la suite, combien d'arguments Montesquieu va lui opposer, et quelles métamorphoses l'idée de liberté va subir. Dans les *Lettres Persanes*, ce dépassement est déjà réalisé ; l'essentiel n'est ni le spectacle du despotisme polygame, ni les jeux de l'intelligence désabusée : le livre recèle, sous l'enveloppe romanesque et satirique, un centre et un noyau positifs, un enseignement sur la justice.

Mais il faut auparavant montrer dans quels termes Montesquieu s'oppose à la *liberté négatrice*. Qu'elle passe franchement à l'action en devenant révolte, ou qu'elle se limite au domaine du plaisir en devenant libertinage, Montesquieu s'effraie du *désordre* qu'elle provoque. Mieux vaut déjà un ordre imparfait. Et c'est à Venise qu'il prendra conscience de son horreur du désordre. Venise, ville de la liberté sous le masque et où le Carnaval était installé à demeure, lui inspire une étrange inquiétude. La licence et le despotisme y règnent de concert. On y rencontre des princes en exil, des aventuriers comme Bonneval, des ministres disgraciés comme Law. Venise est le rendez-vous de ceux qui, bon gré mal gré, se sont *détachés* de tout. Mais Montesquieu, qui ne signe pas ses livres et qui aime assez le plaisir de l'anonymat, refuse cependant de porter comme les autres un masque qui le rendrait souverainement libre et lui permettrait de se soustraire à toute règle. Le masque, cet instrument de la liberté négatrice, lui aurait permis de se libérer de lui-même : il aurait impunément déployé le regard le plus indiscret sur les choses et sur les hommes, sans être en retour déchiffré ; et nul n'aurait su quels spectacles et quels plaisirs il se serait donnés. Mais le jugement de Montesquieu est sévère : «... *Il n'y a plus que des gens disgraciés dans leurs pays, et qui ont pris le parti de mener une vie oisive et indépendante, qui vivent à Venise, et ils deviennent misanthropes à faire pitié, s'ensevelissant dans une p... — Quant à la liberté, on y jouit d'une liberté que la plupart des honnêtes gens ne veulent pas avoir : aller de plein jour voir des filles de joie ; se marier avec elles ; pouvoir ne pas faire ses pâques ; être entièrement inconnu et indépendant dans ses actions : voilà la liberté que l'on a. Mais il faut être gêné : l'homme est comme un ressort, qui va mieux, plus il est bandé.* »

C'est donc au nom de la valeur dynamique de la contrainte que Montesquieu réclamera des limites et des gênes. La licence, qui dissout tous les liens, voit les forces de l'homme se dissiper. Si l'esprit posait en absolu son pouvoir de négation, il verrait sa liberté périr par son excès même. La négation, alors, ne détient plus d'autre bien que son propre néant. Dans le procès qu'elle instruit aux apparences, ce qu'elle dévoile en démasquant le paraître, ce n'est pas l'être, mais le non-être. Asmodée est le patron de ceux qui ont résolu de démasquer le spectacle du monde ; mais Asmodée est un démon, il a partie liée avec Méphisto : la négation définitive est leur grande affaire à tous deux. Montesquieu ne se prend pas à leurs promesses de bonheur. L'exigence d'une limite imposée à la liberté vient ici attester son goût de la stabilité, qui contrebalance l'esprit de rupture et de mobilité : *l'esprit fixé* aime ses attaches et leur attribue une fonction positive. A ce noble qui fait valoir ses vignes, il faut une liberté qui ne soit pas trop opposée aux valeurs de productivité. Il se méfie d'une liberté qui n'aurait pas d'autre fin qu'elle-même, et à qui son propre pouvoir de négation serait plus précieux que toute valeur stable. Et il dénie à cette liberté purement « spirituelle » le droit de se poser en valeur suprême, sur les vestiges de ce qu'elle nie. Montesquieu n'est pas disposé à renoncer aux biens de cette vie : aux biens qui se créent et qui s'échangent. Pour lui, la liberté est simplement « *ce bien qui fait jouir de tous les autres biens* ». Elle n'est qu'un moyen, qui nous achemine vers d'autres fins. Sa fonction est transitive.

De fait, il ne s'est jamais agi, pour Montesquieu, de nier pour le seul plaisir de nier. « *Je n'ai point naturellement l'esprit désapprobateur.* » Ce monde absurde que l'ironie condamne, c'est un monde *infidèle* à des valeurs éternelles. Ce que désapprouvait la liberté négatrice, c'était le faux-monnayage des valeurs : les principes factices d'autorité que les hommes avaient substitués aux principes authentiques. Ce monde n'est donc ni absurde ni injustifiable essentiellement : il est injuste et déraisonnable, c'est-à-dire désobéissant aux injonctions d'une Justice et d'une Raison immuables.

Mais pourquoi les hommes désobéissent-ils ? Parce qu'ils sont libres, répond Montesquieu. La liberté apparaît ici sous un nouveau jour : comme un pouvoir d'infraction, comme une imperfection. « *La liberté est en nous une imperfection : nous sommes libres et incertains, parce que nous ne savons pas certainement ce qui nous est le plus convenable.* » Voici survenir une nouvelle image de la liberté : le *second moment* dans le développement dialectique de la réflexion sur la liberté.

2

Chapitre 1.

Des Loix dans le raport
qu'elles ont avec les divers êtres.

Les Loix dans leur signification
la plus étendue sont les raports
necessaires qui derivent dela nature
des choses, et dans ce sens tous les

Telle est la perspective que Montesquieu propose au début de l'*Esprit des Lois :* la définition de la loi précède la définition de la liberté. L'univers est régi par les lois immuables d'une raison éternelle. Cette *Raison primi-*

*tive* avait édicté ce que seraient les « *rapports nécessaires* », avant même qu'il y eût un monde. Dieu lui-même a créé le monde selon ces règles ; à la façon d'un monarque constitutionnel, et respectueux de la constitution, il n'a accompli aucun « *acte arbitraire* ». Et de même que les lois mathématiques existent *a priori*, la justice est un « *rapport de convenance* » qui existe en soi, qui existait avant l'histoire humaine, et qui subsiste indépendamment de l'idée que nous en prenons. Montesquieu, dès les *Lettres Persanes*, affirme : « *Ce rapport est toujours le même, quelque être qui le considère, soit que ce soit Dieu, soit que ce soit un ange, ou enfin que ce soit un homme.* » Et nous lisons, au début de l'*Esprit des Lois* : « *Les êtres particuliers intelligents peuvent avoir des lois qu'ils ont faites ; mais ils en ont aussi qu'ils n'ont pas faites. Avant qu'il y eût des êtres intelligents, ils étaient possibles ; ils avaient donc des rapports possibles, et par conséquent des lois possibles. Avant qu'il y eût des lois faites, il y avait des rapports de justice possibles. Dire qu'il n'y a rien de juste ni d'injuste que ce qu'ordonnent ou défendent les lois positives, c'est dire qu'avant qu'on eût tracé de cercle, tous les rayons n'étaient pas égaux... Il faut donc avouer des rapports d'équité antérieurs à la loi positive qui les établit.* » Cette idée a sa source dans la pensée platonisante de Hugo Grotius, qui affirmait presque dans les mêmes termes la similitude des propositions *a priori* des mathématiques et du droit naturel.

Les corps du monde physique gravitent selon la perfection de la loi mathématique : l'harmonie majestueuse du ciel newtonien énonce la gloire de la Raison. Il serait beau que l'homme se laissât conduire par une même régularité tranquille et sans défaillance. Qui l'en empêche ? Lui-même, c'est-à-dire : sa liberté. « *L'homme, comme être physique, est, ainsi que les autres corps, gouverné par des lois invariables. Comme être intelligent, il viole sans cesse les lois que Dieu a établies, et change celles qu'il établit lui-même.* » L'intelligence, et la liberté qui a partie liée avec l'intelligence, apparaissent donc comme des fauteurs de désordre. La liberté de l'homme, c'est d'abord un pouvoir de désobéissance aux lois invariables, c'est une brèche scandaleuse dans l'harmonie du mouvement universel ; elle oppose à la constance le changement, et vient mettre au défi l'éternité de l'ordre. Dans ce premier chapitre de l'*Esprit des Lois*, le déterminisme des causes nécessaires s'arrête nettement au seuil de la liberté humaine. Mais cette liberté est pernicieuse : elle n'offre qu'un pouvoir de dérogation. C'est parce qu'il est libre que l'homme peut refuser d'écouter la voix de la raison, qui s'exprime dans toutes les choses du monde physique, et jusque dans la vie organique des animaux. Les plantes et les bêtes accomplissent instinctivement ce que la loi naturelle exige d'eux. Mais l'homme, seul être doué de raison, est le seul être qui puisse *déraisonner*.

Que faire d'autre alors, sinon ramener sous l'autorité de la Loi celui qui s'en est indûment affranchi ? Pour borner cette liberté qui est désobéissance et démesure, il faudra édicter tout un corps de lois écrites, qui interdisent et qui punissent, toute une légalité formelle qui empêche les hommes d'outrepasser la mesure que leur assigne la raison universelle... Le législateur sera celui qui, connaissant le plan de la « Raison primitive », fera retrouver, de gré ou de force, l'ordre raisonnable. Ce n'est pas une invention ou une création, c'est un retour au principe, une *restitutio ad integrum*. Le code des lois positives, formulées par le législateur, ramènera l'homme sous l'autorité des lois éternelles inscrites dans la nature des choses. La loi humaine énoncera impérativement ce rapport de convenance déjà formulé idéalement avant toute existence humaine. On trouve, dans le dossier de l'*Esprit des Lois*, cette déclaration extrêmement révélatrice : « *C'est une pensée admirable de Platon que les lois sont faites pour annoncer les ordres de la Raison à ceux qui ne peuvent les recevoir immédiatement d'elle.* » Le législateur de la théocratie était l'interprète des dieux ; le législateur selon Montesquieu sera l'interprète de la Raison.

Et quand Montesquieu formule le type idéal de la monarchie, de l'aristocratie, de la démocratie, il construit des modèles parfaits d'organisation politique, qui planent, eux aussi, au-dessus de l'histoire. Ces États parfaits n'ont peut-être jamais été *représentés* dans l'histoire. Il n'importe. Montesquieu construit cette « typologie » idéale pour enseigner l'ensemble des conditions concordantes qui doivent être remplies si l'on veut réaliser la parfaite monarchie, la parfaite démocratie... Les lois qui assureront le meilleur équilibre existent donc d'avance, et pour toujours. Leurs principes sont des « *ressorts moraux* » auxquels on peut toujours faire appel puisque la nature de l'homme est éternelle et que l'honneur, la crainte, la vertu, se retrouveront toujours au fond de son cœur. Montesquieu invite quelquefois à penser que les fondateurs des cités ont eu connaissance de ces lois fondamentales ; à ses heures de confiance en la sagesse humaine, Montesquieu admet sans trop de critiques l'idée du législateur initial, de l'instituteur de l'institution, — la légende de Lycurgue et de Numa : « *Dans la naissance des sociétés, ce sont les chefs des républiques qui font l'institution ; et c'est ensuite l'institution qui forme les chefs des républiques.* » Ceci veut dire que le type parfait d'un État doit être cherché à ses origines. Dans sa structure première, il est pur. L'histoire ne lui offre que des occasions de *dégénérer*. C'est pourquoi, aux yeux de Montesquieu, la véritable action réformatrice ne peut être qu'une action restauratrice. D'où l'intérêt si vif pour les origines de la monarchie française, et le long travail que Montesquieu s'impose, retardant la publication de l'*Esprit des Lois*, pour écrire son *Livre Trentième : « Théorie des lois féodales chez les Francs dans le rapport qu'elles ont avec l'établissement de la Monarchie »*... Montesquieu affirme très nettement : « *Rappeler les hommes aux maximes anciennes, c'est ordinairement les ramener à la vertu.* » Le bien, c'est quelque chose qui se découvre à nous par un retour en arrière, c'est quelque chose vers quoi l'on *remonte* : « *On va au mal par une pente insensible et on ne remonte au bien que par un effort.* »

Reprise de la théologie, l'idée de volonté divine s'est transformée en idée de Loi Naturelle. Mais la Justice n'est ni la volonté arbitraire de Dieu, ni la volonté arbitraire du Prince. La loi seule ordonne et veut *impersonnellement ;* elle-même n'a pas été voulue, elle n'a pas été proférée ; c'est elle qui profère et prescrit ; mais elle est, comme on le dira à la fin du siècle, imprescriptible. A l'image de l'ancien Dieu (qu'elle tolère à la condition qu'il ne lui désobéisse pas), elle est incréée, et demeure identique à elle-même. L'ancien Logos était créature de Dieu. La nouvelle loi prescrit à Dieu les règles selon lesquelles il crée. Il est évident cependant que nous ayons affaire ici à une donnée religieuse laïcisée. Les valeurs immuables de la foi rationaliste sont les formes profanes sous lesquelles le Dieu de la théologie se survit. Autrefois le Dieu transcendant proférait la loi et en garantissait l'éternité. La loi, désormais, est la seule à être vraiment première et indestructible. Elle justifie Dieu bien plus qu'elle n'est justifiée par lui, et la toute-puissance de Dieu n'est pour elle qu'une caution de plus. Et, pourvu qu'elle conserve le privilège de l'éternité et de l'autorité, Montesquieu est prêt à sacrifier encore l'idée de sa transcendance. « *La Loi est la raison du grand Jupiter* », écrit-il une fois. Mais ailleurs : « *La loi, en général, est la raison humaine en tant qu'elle gouverne tous les peuples de la terre ; et les lois politiques et civiles de chaque nation ne doivent être que les cas particuliers où s'applique cette raison humaine.* » Y a-t-il, entre la première de ces affirmations et la seconde, une véritable contradiction ? Ne sont-elles pas vraies pour lui toutes deux ensemble ? De sorte que la raison humaine sera équivalente à la « *raison du grand Jupiter* ». Ne serait-elle que terrestre, la raison humaine est pour Montesquieu quelque chose de stable, d'éternel et, comme la nature humaine, elle n'est altérée par aucun changement historique. Ainsi, parce que la loi est *à la fois* raison du grand Jupiter et raison humaine, le législateur pourra la penser et la formuler sans attendre qu'une révélation la lui transmette au sommet de quelque Sinaï.

Certes, à voir les choses comme elles arrivent le plus souvent, il faut bien convenir que « *la plupart des législateurs ont été des hommes bornés, que le hasard a mis à la tête des autres, qui n'ont presque consulté que leurs préjugés et leurs fantaisies. Il semble qu'ils aient méconnu la grandeur et la dignité mêmes de leur ouvrage.* » Cette faiblesse des choses humaines n'entraîne pourtant aucun discrédit pour la majesté intangible de la Loi, qui n'est pas compromise par l'arbitraire des lois particulières. Montesquieu s'interdit de soupçonner que la Loi primitive puisse être une convention ou une violence travestie en volonté transcendante pour mieux s'imposer à la crédulité des hommes.

En fait, tandis qu'il attribue une autorité intangible aux valeurs qui lui paraissent nécessaires à l'ordre social, Montesquieu n'hésite pas à jeter le discrédit sur les valeurs purement religieuses et rituelles, — sur ces valeurs précisément qui gênent l'instauration de la société laïque et raisonnable souhaitée par le bourgeois français. Le pur et l'impur, par exemple, ne sont rien d'absolu en eux-mêmes ; ils sont relatifs aux impressions des sens, au climat, etc... Les hommes projettent ces notions religieuses sur des objets qui sont réellement indifférents. Ce ne sont que des fictions valorisantes : « *Il me semble que les choses ne sont en elles-mêmes ni pures ni impures : je ne puis concevoir aucune qualité inhérente au sujet qui puisse les rendre telles... Les sens... doivent donc être les seuls juges de la pureté ou de l'impureté des choses. Mais, comme les objets n'affectent point les hommes de la même manière, que ce qui donne une sensation agréable aux uns en produit une dégoûtante chez les autres, il suit que le témoignage des sens ne peut ici servir de règle, à moins qu'on ne dise que chacun peut, à sa fantaisie, décider ce point et distinguer, pour ce qui le concerne, les choses pures d'avec celles qui ne le sont pas.* » Comme le pur et l'impur n'ont aucune part dans la disposition pratique de la société que Montesquieu désire, il n'est pas dangereux que la décision en soit remise à notre seule fantaisie. Mais sitôt qu'il s'agira de notions indispensables à la bonne marche de l'état — avant tout, de l'idée du juste et de l'injuste — il voudra les soustraire à la décision de nos sens et, cette fois, ne consentira plus à y reconnaître des valeurs inventées par la fantaisie des hommes. On peut *démasquer* les absolus du pur et de l'impur, mais l'absolu du juste et de l'injuste n'est pas putatif, c'est une réalité solide, dont il faut savoir reconnaître et saluer l'évidence. Que le bon plaisir ou l'intérêt de l'homme soit mesure du juste ou de l'injuste, voilà qui effraie Montesquieu, encore que la possibilité lui en apparaisse un instant. Si redoutables en seraient les conséquences sociales, qu'il est plus sage de ne jamais laisser entrevoir que l'homme puisse être le libre créateur de ses valeurs, la chose fût-elle même vraie. Mieux vaudrait, dans ce cas, laisser à la fiction son masque, se garder de l'attaquer, et faire *comme si* la Justice était éternelle : « *Ainsi, quand il n'y aurait pas de Dieu, nous devrions continuer à aimer la Justice ; c'est-à-dire faire nos efforts pour ressembler à cet être dont nous avons une si belle idée, et qui, s'il existait, serait nécessairement juste. Libres que nous serions du joug de la Religion, nous ne devrions pas l'être de celui de l'Équité. — Voilà, Rhedi, ce qui m'a fait penser que la Justice est éternelle et ne dépend point des conventions humaines ; et, quand elle en dépendrait, ce serait une vérité terrible, qu'il faudrait se dérober à soi-même.* » Commentant ce passage, Sainte-Beuve remarque : « On a dans ces paroles la mesure de la croyance de Montesquieu et de son noble désir : jusque dans l'expression de ce désir, il se glisse toujours cette supposition que, *même quand la chose n'existerait pas,* il serait mieux d'y croire. » Et Marcel Raymond note à ce propos : « L'aveu est lourd. Tout se passe comme si Montesquieu acceptait d'avance que Dieu mourût, ou qu'il devînt une *belle idée.* » Le doute s'est insinué. C'est par raison d'État, ou du moins par raison d'ordre, qu'on le repousse. Le mensonge semble alors préférable au désordre qui résulterait de cette « *vérité terrible* ». En fait, Montesquieu hésite ici au seuil du monde historique, au seuil du monde où l'homme est le créateur de toutes ses valeurs. Il ne veut pas quitter le monde de l'éternel. Il parie pour la Justice.

Si Montesquieu en était resté là, il n'aurait eu d'autre tâche que de formuler la loi selon laquelle la cité juste doit s'organiser et se construire ; il n'aurait eu qu'à développer les principes d'un Droit idéal, universellement valable, et planant au-dessus de l'histoire. Il aurait rappelé aux hommes qu'ils sont libres, puisqu'ils peuvent déraisonner, mais il leur aurait appris aussi qu'il n'y a qu'une seule manière de bien choisir. L'erreur est multiple, tandis qu'il n'y a qu'un seul Bien, établi dès l'origine et valable jusqu'à la fin des temps.

Mais nous vivons parmi des institutions établies, dont la plupart sont très déraisonnables. Devrions-nous les tenir pour nulles et non avenues ? Et pourtant elles existent. Admettrons-nous qu'elles sont absurdes ? Ce serait tenir pour inexplicable quelque chose qui fait partie de la *nature.* De nombreuses ambiguïtés résultent de cette situation initiale. Montesquieu, qui invite le législateur à transmettre au citoyen les lois de la raison, parlera ailleurs de « *rendre les raisons* » des lois et ajoutera : « O*n dit ici ce qui est et non pas ce qui doit être.* » Entre la raison des lois et la loi de la raison, il est aisé de voir que l'ambiguïté ne frappe pas seulement l'idée de *loi* mais encore l'idée de *raison.* Et la notion de *nature,* elle aussi, va apparaître double tout au long de l'*Esprit des Lois.* Exemple : il existe une *pudeur naturelle,* dit le défenseur du Droit naturel, et il y a des coutumes, en certains pays exotiques, qui offensent cette pudeur naturelle. Pourquoi ? Adoptant l'attitude du déterministe et du savant Montesquieu trouvera, parmi les causes physiques, des *raisons naturelles* qui expliquent l'impudeur des indigènes. Même contradiction au sujet de l'esclavage, coutume contre-nature, mais justifiée parfois par des « *rai-*

*sons naturelles* » : « *Comme tous les hommes naissent égaux, il faut dire que l'esclavage est contre la nature, quoique dans certains pays il soit fondé sur une raison naturelle.* » Il y a donc deux natures opposées l'une à l'autre. Montesquieu écrit sans sourciller : « *Quand donc la puissance physique de certains climats viole la* loi naturelle *des deux sexes et celle des êtres intelligents, c'est au législateur à faire des lois civiles qui forcent* la nature du climat *et rétablissent les lois primitives.* » Ainsi passe-t-on sans transition d'une nature à une autre nature, d'une loi à une autre loi. Déterministe, Montesquieu affirme que le climat est « *le premier de tous les empires* », et les raisons humaines sont toujours subordonnées à cette cause suprême, « *qui fait tout ce qu'elle veut et se sert de tout ce qu'elle veut* ». Mais le législateur idéaliste veut que les causes morales l'emportent, — causes naturelles, mais qui ne sont pas dans la nature : « *Plus les causes physiques portent les hommes au repos, plus les causes morales les en doivent éloigner.* » Dans la perspective déterministe, les phénomènes physiques sont des variables qui obligeront nécessairement l'homme à varier d'un climat à l'autre ; dans la perspective idéaliste, l'homme possède une essence invariable. Les grandes thèses classiques sont présentes contradictoirement au sein de l'œuvre de Montesquieu : il les accepte simultanément.

Cependant, ces deux conceptions contradictoires sont unies par une profonde analogie. Le droit naturel formule des constantes morales ; les variations du monde physique sont régies par des constantes mathématiques ; constantes morales et constantes physiques n'appartiennent certes plus au même monde, mais du moins elles ont en commun le caractère de *constance*. Et peut-être, si paradoxal que cela paraisse, doivent-elles cette constance à ce qu'elles ont hérité de leur vieil adversaire — la théologie. Lorsque Montesquieu se fait déterministe, il admet qu'une loi *immuable* règle la succession des causes et des effets. Et quel que soit le système d'explication adopté, il reste en présence d'un *cosmos* cohérent.

Son interprétation de l'histoire recourt aux mêmes constantes. Qu'il utilise l'explication déterministe ou idéaliste, l'histoire ne bouge pas. Surplombée par les exigences absolues de la Justice, elle n'est qu'une succession de moments plus ou moins imparfaits et, à propre-

CONSIDERATIONS
SUR LES CAUSES
DE LA
GRANDEUR
DES
ROMAINS
ET DE LEUR
DECADENCE.

*Par M. Le President de Montesquieu de l'Acad. Fr. autheur des lettres Persannes.*

*J. René*
*1734*

*A AMSTERDAM,*
Chez JAQUES DESBORDES,
MDCCXXXIV.

ment parler, toujours plus ou moins dénués de *justification :* coïnciderait-elle avec les exigences de la Justice, elle viendrait alors à s'immobiliser, puisque la Justice est immuable. Rien de ce qui est mouvant n'est pleinement réel : l'histoire n'est alors qu'illusion, elle exprime notre séparation d'avec le Bien. Mais d'autre part, dans l'interprétation matérialiste par le moyen des seules causes efficientes, Montesquieu décèle derrière le changement historique l'action des lois immuables qui gouvernent le changement. Ces lois, elles, demeurent à l'abri de toute altération historique. La causalité qui préside à la transformation des choses n'est pas sujette à son tour à la transformation. L'idée théologique de la fidélité de Dieu dans ses voies est devenue, par un glissement inavoué, l'idée de la permanence des lois naturelles. Il ne vient pas à l'esprit de Montesquieu de se demander si l'idée de causalité à laquelle il se fie n'est pas, elle aussi, un produit de l'histoire, c'est-à-dire une notion qui n'aura pu s'imposer à l'esprit que dans une situation historique particulière. Le relativisme dont Montesquieu et les hommes du siècle s'étaient servis contre les vieilles idoles ne se retourne pas contre les nouvelles divinités et les nouveaux absolus : la divinité de la Raison et l'absolu de la loi naturelle. (Mais bientôt la loi naturelle perdra son prestige sacré. La nature ne sera plus que le simple « milieu naturel » dans lequel l'homme inscrit, pour sa curiosité et pour le perfectionnement de ses techniques, des relations fonctionnelles, toujours provisoires, toujours perfectibles, admises en raison de leur efficacité, répudiées au nom d'une efficacité supérieure, indéfiniment modifiables selon l'échelle de précision et l'approximation souhaitées. La majesté de l'absolu leur sera retirée.)

Dans les *Considérations sur les causes de la grandeur et de la décadence des Romains*, Montesquieu écrira l'histoire d'une façon qui contredit en tout point le fameux « providentialisme » de Bossuet. Une explication historique où l'on voit s'appliquer des causes générales (qui sont des causes naturelles) et où les événements se succèdent selon un enchaînement nécessaire qui ne suppose jamais aucune intervention divine influençant l'événement humain de l'extérieur : voilà certes la franche contestation d'une histoire dominée par la volonté d'un Dieu qui sait d'avance où il veut en venir avec les hommes. La position de Montesquieu est ici parfaitement comparable à celle que défendaient, en biologie, à la même époque, les partisans de l'épigénèse de l'embryon, contre les partisans de la préformation. Rome est aussi pour Montesquieu un organisme qui se développe, de la naissance à la mort, selon des lois qui lui restent toujours immanentes. Rome paraît forger son destin elle-même, mais les actes de son passé l'enchaînent. Par son esprit de conquête, elle a agrandi son territoire. Or la conséquence du luxe qu'elle acquiert est la ruine de la morale civique. Et la disproportion de la capitale et de l'empire appelle fatalement le pouvoir autoritaire centralisateur : le despotisme est devenu inévitable... Un événement historique découle nécessairement d'une situation d'ensemble, selon des principes contenus dans la nature des choses. « *Ce n'est pas la fortune qui domine le Monde : on peut le demander aux Romains, qui eurent une suite continuelle de prospérités quand ils se gouvernèrent sur un certain plan, et une suite non interrompue de revers lorsqu'ils se conduisirent sur un autre. Il y a des causes générales soit morales, soit physiques, qui agissent dans chaque monarchie, l'élèvent, la maintiennent, ou la précipitent ; tous les accidents sont soumis à ces causes ; et si le hasard d'une bataille c'est-à-dire d'une cause particulière, a ruiné un État, il y avait une cause générale qui faisait que cet État devait périr par une seule bataille : en un mot, l'allure principale entraîne avec elle tous les accidents particuliers.* » Il faut souligner ici le caractère complexe de l'idée de cause. L'histoire est déterminée par des « *causes générales* », mais Montesquieu ne demande pas au déterminisme de simplifier tous les problèmes. La causalité ne se déroule pas sous ses yeux comme un enchaînement linéaire de causes et d'effets, l'histoire ne s'avance pas sur une seule voie ; Montesquieu rejette l'explication naïve qui ramène la succession des faits historiques au problème mécanique de la simple communication du mouvement. L'histoire, selon lui, n'est pas « unicausale ». Des causes multiples sont à l'œuvre concurremment et simultanément : ce sont les causes particulières. Leur moyenne et leur résultante constituera la « *cause générale* ». Le déterminisme historique de Montesquieu est, si l'on peut dire, « multicausal ». La cause générale est le résultat d'une composition de forces : celles-ci concourent à déterminer une situation, mais elles surviennent de toutes parts. La cause générale est faite d'éléments qui se réunissent par des voies divergentes. Et c'est de la même façon que Montesquieu conçoit l'*esprit général* d'une nation : une réalité homogène se constitue à partir de forces hétérogènes, apparemment irréductibles les unes aux autres, et dont chacune peut un instant revendiquer la primauté absolue : « *Plusieurs choses gouvernent les hommes : le climat, la religion, les lois, les maximes du gouvernement, les exemples des choses passées, les mœurs, les manières : d'où il se forme un esprit général qui en résulte.* » L'esprit général, la cause générale, impliquent entre les causes particulières un système de relations et de rapports, un lien organique des parties au sein du tout. Rien ne change sans entraîner des changements corrélatifs. Grâce à cette vision synthétique, l'histoire de la grandeur et de la décadence de Rome est vraiment l'histoire d'un organisme. Et en tout ceci, la méthode de Montesquieu reste celle de la physique de Galilée : « compositive et résolutive ». Si Montesquieu sait admirablement isoler les différents moments déterminants — climat, économie, techniques de guerre, vertus morales, conditions politiques — c'est pour nous inviter, en définitive, à les voir se mêler et ne porter qu'une seule signification : le destin de Rome.

Une telle vision de l'histoire est loin de retirer toute valeur à la volonté humaine. Mais la volonté humaine n'est pas la cause unique : elle est une cause particulière parmi beaucoup de causes qui font pression les unes sur les autres. Les causes générales ne font pas l'histoire sans l'homme ; mais parmi les causes générales, il y a aussi de l'inhumain : la nature du terrain, le climat. Et il y a tout le passé humain, tout ce qui nous a été imposé à l'avance par notre civilisation, tout ce qui nous a instruits. L'histoire en fait, est l'œuvre des causes nécessaires, qui *s'expriment* à travers les hommes. Montesquieu n'appartient pas encore à l'époque qui se demandera si l'homme fait librement l'histoire. Il n'appartient plus à l'époque qui se demandait si l'homme fait librement son salut. Il échappe ainsi à une double inquiétude. Il habite ce moment de transition et d'équilibre précaire entre l'âge de la théologie et l'âge de l'historicisme. L'idée de la causalité nécessaire est pour lui une idée stable et rassurante : s'il ne nous appartient pas de faire librement l'histoire, il nous appartient cependant de la comprendre totalement. Voilà qui nous éloigne de l'idée d'une Providence insondable dont il fallait se contenter d'adorer les décrets. Mais ce qui survit secrètement de la pensée théologique, c'est l'idée de la constance éternelle de la loi causale : l'on n'a fait que passer de l'idée d'une Volonté immobile *au-dessus* de l'histoire à l'idée d'un principe d'action immobile *à travers* l'histoire.

L'histoire reste donc mue par de l'immuable. En son principe, elle n'est pas mouvement. Pour mieux dire, l'histoire est l'expression de quelque chose de non historique. Dans la mesure même où l'on cherchera à la comprendre, il faudra remonter du variable au permanent, du devenir de l'organisme à la loi de ce devenir, du mouvement au moteur. L'histoire, chez Montesquieu, se développe et se déploie : mais à la façon d'une carte, ou à la façon dont tourne un planisphère. C'est un mouvement cyclique où tout peut revenir à sa position de départ, un mouvement d'horloge bien réglé, à l'exemple du cosmos tranquille de Newton. La perspective d'un progrès irréversible, la notion d'une pente ascendante qui seraient l'expression d'une évolution de l'humanité, tout cela n'existe pas pour Montesquieu. Il y aurait vu une forme camouflée, rénovée, de l'idée de Providence, et une nouvelle façon d'interpréter l'histoire par les « causes finales ». L'optimisme de Montesquieu n'a jamais pris l'aspect d'un progressisme ou d'un « méliorisme ». C'est en la « *nature humaine* » éternelle qu'il met sa confiance. Au niveau des *principes*, les problèmes sont les mêmes pour les États anciens et les États modernes. L'histoire de Rome — où l'on voit exemplairement comment une république dégénère et devient État despotique, et comment cet État despotique s'accable lui-même et court à sa perte —, peut être utilement confrontée, aux yeux de Montesquieu, avec l'histoire moderne de la France. Le *parallèle* est admis, malgré des différences d'esprit qu'il ne faut pas méconnaître. L'éviction du Sénat par César et par Auguste est l'image anticipée de l'éviction de la noblesse française par Richelieu et Louis XIV. L'histoire n'apprend pas ce qui a été, mais ce qui *est*. Et Rome nous reste contemporaine, même si, dans la distance, elle apparaît comme la patrie à jamais perdue de la grandeur humaine. Dans ses comparaisons, Montesquieu prendra certes quelques précautions : « *Quand j'ai été rappelé à l'antiquité, j'ai cherché à en prendre l'esprit, pour ne pas regarder comme semblables des cas réellement différents ; et ne pas manquer les différences de ceux qui paraissent semblables.* » Mais s'il témoigne ici de son sentiment de la

# Dialogue de Sylla et d'Eucrate.*

* Par M. de Montesquieu.

§ Cet ouvrage se trouve imprimé à la suite de quelques Editions des Considérations sur les Causes de la grandeur des Romains et dans le Recueil des Oeuvres de l'auteur, imprimé en 1758, in-4.° au Tome III, pag. 555.

Quelques Jours après que Sylla se fut
demis de la dictature, j'apris que la reputation
que j'avois parmi les philosophes luy
faisoit souhaiter de me voir, il etoit a sa
maison de Tibur ou il jouissoit des premiers
momens tranquiles de sa vie. Je
ne sentis point devant luy le desordre ou
nous jette ordinairement la presence des
grands hommes, et des que nous fusmes seuls
Sylla, luy dis je, vous vous estes donc mis
vous meme dans cet etat de mediocrité qui
afflige presque tous les humains, vous avez
renoncé a cet empire naturel que votre
gloire et vos vertus vous donnoient sur tous
les hommes, la fortune semble estre
gené de ne pouvoir plus vous Elever
aux honneurs.

Eucrate, me dit il, si je ne suis plus en
spectable a l'univers, c'est la faute des choses
humaines qui ont des bornes, et non par
la mienne; J'ay cru avoir remply ma

5

*distance* historique, et s'il prétend avoir été prudent au moment où il établissait des similitudes, — il avoue pourtant qu'il y a, malgré la distance, des « cas semblables », et que l'histoire nous offre, à des milliers d'années d'intervalle, des exemples d'une même loi — qui se répétera toujours.

Dans la perspective idéaliste, l'historien a pour fonction de juger les hommes, selon qu'ils se seront approchés ou éloignés de la norme idéale de la Justice. L'histoire est alors un tribunal. Et Montesquieu écrit : « *Les historiens sont des examinateurs sévères des actions de ceux qui ont paru sur la Terre, et ils sont une image de ces magistrats d'Égypte qui appelaient en jugement l'âme des morts.* » C'est ainsi qu'au moment de décrire la Rome impériale, il fera défiler quelques princes à son tribunal et, en juge intègre, les condamnera sans appel. Mais, dans la perspective déterministe, on peut « *rendre les raisons* » de toutes les actions — y compris les plus injustes — par l'enchaînement nécessaire et impersonnel des causes. Il n'y a plus de coupables, il n'y a plus de grands hommes, il n'y a plus de tribunal.

En définissant d'une façon extraordinairement précise et forte les *valeurs* de la vie civique — justice, vertu, frugalité — Montesquieu annonce l'histoire héroïque de la fin du siècle, le surgissement des grandes figures révolutionnaires, de ces « grands hommes » pathétiques qui accompliront leurs hauts faits comme s'ils avaient à comparaître devant un tribunal surnaturel pour y répondre de leur dévotion à la vertu. Mais il inaugure d'autre part une manière d'écrire l'histoire qui se passera désormais des « grands hommes » et qui ne voudra connaître que les causes générales. Le *Dialogue de Sylla et d'Eucrate* — que Montesquieu dit avoir écrit sous l'influence de Corneille — est un débat sur la grandeur humaine, et surtout un procès du *grand homme* et de sa prétention à orienter l'histoire. Sylla a réussi ; il a affirmé sa propre liberté par ses victoires et ses massacres. Il croit avoir libéré Rome. Quelles vont être les conséquences de ses actes ? Eucrate répond : « *Mais, en prenant la dictature, vous avez donné l'exemple du crime que vous avez puni. Voilà l'exemple qui sera suivi.* » Le héros libérateur n'aura fait, à son insu, qu'aggraver les « *causes générales* » qui condamnent Rome à perdre la liberté. C'est à César, en fait, qu'il a préparé le chemin... Le grand homme, ce n'est pas le conquérant, ce n'est pas Alexandre ni Sylla, c'est le philosophe Callisthène, que la volonté despotique d'Alexandre a fait enfermer dans une cage. La grandeur n'appartient pas à celui qui croit faire l'histoire, mais à celui qui supporte avec courage la volonté arbitraire des princes injustes. C'est de Callisthène que Lysimaque apprendra à être un bon monarque : « *Je le trouve entre mon peuple et moi.* » Telle est la portée de ce récit exemplaire que Montesquieu écrivit à la fin de sa vie : le maître du bon monarque sera le philosophe qui n'a pas voulu se plier à la volonté du grand homme et qui n'a pas accepté d'adorer le conquérant. Et le bon monarque, ainsi instruit, donnera à ses peuples un règne sans histoire : « *Mes sujets sont heureux, et je le suis.* » (Mais il reste que Lysimaque est l'héritier d'une partie de l'empire d'Alexandre. Il tient son royaume d'une bonne action du despote conquérant. Au commencement, donc, était la violence.)

A la formule anti-héroïque du bonheur correspond logiquement cette conception de l'histoire où désormais les grands hommes et les héros n'interviendront plus d'une façon déterminante. Selon l'absolutisme religieux, les grands hommes n'étaient que les instruments de la Providence ; selon le nouvel absolu déterministe, ils ne sont que le truchement d'une nécessité immanente.

Entre ce matérialisme (qui n'est pas encore «historique ») et cet idéalisme (qui n'est plus religieux), Montesquieu ne voit pas la contradiction. Il se servira des deux systèmes tour à tour. Le premier lui sera précieux surtout comme moyen d'explication : il est avant tout un instrument descriptif. Le second lui permet d'établir des principes d'action : les actes politiques auront un sens et une valeur par rapport à des normes fixes. C'est ainsi que l'*Esprit des Lois* pourra prétendre simultanément à l'utilité pratique et à l'objectivité descriptive : instruire les hommes et les éclairer sur leurs devoirs. Selon les besoins, Montesquieu tirera ses arguments de l'un ou de l'autre système. Pour justifier sa prudence et son conservatisme, pour réfréner l'appétit d'action réformatrice, Montesquieu appellera quelques considérations déterministes à la rescousse. Une loi qui paraît injuste à la raison théorique, et qu'on pourrait être tenté de corriger au nom du Droit naturel, est en réalité le produit d'une longue série de causes et d'effets ; elle est en rapport avec beaucoup d'autres lois ; on ne saurait la changer sans contrecarrer du même coup l'esprit général de la nation ; et c'est pourquoi le mieux théorique serait en réalité une erreur politique. Il est préférable alors de renoncer à l'absolu de la justice, pour sauvegarder l'ordre traditionnel, fût-il imparfait... Malgré les dénégations de Montesquieu, un monde explicable est quelquefois à ses yeux un monde justifiable. « *Je n'écris point pour censurer ce qui est établi dans quelque pays que ce soit. Chaque nation trouvera ici les raisons de ses maximes.* » Manière fine de déconseiller les réformes et les révolutions ; Helvétius, plus pressé d'agir, lui fera le reproche d'accepter ainsi l'ordre établi... Les arguments moraux tirés du Droit naturel, qui condamnent sans appel les lointains royaumes despotiques de l'Asie, n'ont plus cours aussi rigoureusement s'il se trouve que leur mise en œuvre provoquerait trop de bouleversements et de violences dans le royaume de France. « *Qu'on nous laisse comme nous sommes, disait un gentilhomme.* » Et ici apparaît un monde où le bien politique n'est plus tout à fait superposable au bien moral. Au contact de la pensée déterministe, quelque chose commence à se désagréger dans la belle unité des valeurs idéales. Il faudra désormais distinguer la vertu politique et la vertu morale. « *J'ai... voulu faire comprendre que tous les vices politiques ne sont pas des vices moraux, et que tous les vices moraux ne sont pas des vices politiques.* » Comment empêcher que l'homme ne soit dès lors divisé entre ses diverses exigences ? Si le monde politique peut se constituer à l'écart du monde des valeurs absolues, n'assistons-nous pas au retour de l'ancienne vision théologique qui séparait le monde terrestre et le monde céleste ? Montesquieu avait prétendu : « *C'est trop de deux mondes.* » Le voici pourtant en train de distinguer à nouveau deux mondes, comme l'avaient fait Pascal et, avant lui, Montaigne : « Le bien public requiert qu'on trahisse et qu'on mente, et qu'on massacre... La justice en soi, naturelle et universelle, est autrement réglée et plus noblement, que n'est cette autre justice spéciale, nationale, contrainte au besoin de nos polices. »

Maintenant, que reste-t-il de cette première exigence de liberté, qui s'exprimait d'abord sous la forme de l'ironie et de la négation ? Bien peu de chose. Déterminés par les causes générales, les hommes ne peuvent considérer l'histoire comme l'œuvre de leur volonté libre. Ils sont des choses parmi les choses. Ils n'ont d'autre choix que de comprendre ou de ne pas comprendre. Soumis, d'autre part, à la juridiction d'une Justice éternelle, ils sont invités à se méfier d'une liberté qui n'a d'usage que pour le mal. Il n'y a qu'un seul choix, pour qui veut bien faire : respecter la Loi. La liberté était négatrice ; la voici résolument niée. Mais ce *moment* ne représente pas l'aboutissement de la pensée de Montesquieu.

Comme il sépare vertu morale et vertu politique, Montesquieu va séparer liberté philosophique et liberté politique. Il va, nous assure-t-il, renoncer à envisager le problème du libre vouloir. La liberté désormais se définira comme la sécurité de chaque citoyen. « *La liberté politique dans un citoyen est cette tranquillité d'esprit qui provient de l'opinion que chacun a de sa sûreté ; et pour qu'on ait cette liberté, il faut que le gouvernement soit tel qu'un citoyen ne puisse pas craindre un autre citoyen.* » Cette définition, une fois encore, repose sur la négation ; la liberté, c'est l'absence de la crainte et du souci : *securitas*. Une cité qui jouit de la liberté politique est un monde libéré de la peur, un monde où la violence a été contenue par des bornes et des digues très solides.

Inconnues dans ce monde hypothétique d'avant toute histoire, où les individus vivaient isolés, la violence et la guerre apparaissent dès que les hommes commencent à vivre en société. La polémique de Montesquieu contre Hobbes tend à démontrer que la « guerre de tous contre tous » n'est pas le stade originel du genre humain. La violence n'est pas première, dans cette chronologie fictive qui recompose la société à partir de ses unités isolées. Dans l'indépendance naturelle, l'homme a peur, mais il n'est pas violent : il fuit plutôt que d'attaquer. Contre Hobbes Montesquieu pourra se réclamer des *lois naturelles* pour établir une morale politique fondée sur le respect de l'existence d'autrui, sans passer par l'hypothèse d'un contrat originel — par lequel les hommes confieraient arbitrairement un pouvoir illimité à l'un des leurs, en vue de la création d'un ordre. Pour lui, quand ils quittent leur solitude pour s'associer, ils ne trouvent pas l'ordre mais la

# Chapitre ~~X~~ ~~3~~ 2

## De La Liberté du Citoyen



La Liberté philosophique consiste dans l'exercice de sa volonté ou du moins, (s'il faut parler dans tous les systemes) dans l'opinion ou l'on est ~~de la sureté de sa volonté~~ que l'on exerce sa volonté la liberté politique consiste dans la ~~sa~~ sûreté ou du moins dans l'opinion que l'on a de sa sûreté guerre. Et que faire alors pour réprimer la violence ? Des lois.

« *Sitôt que les hommes sont en société, ils perdent le sentiment de leur faiblesse ; l'égalité, qui était entre eux, cesse, et l'état de guerre commence.*

*Chaque société vient à sentir sa force ; ce qui produit un état de guerre de nation à nation. Les particuliers, dans chaque société, commencent à sentir leur force : ils cherchent à tourner en faveur les principaux avantages de cette société ; ce qui fait entre eux un état de guerre.*

*Ces deux sortes d'états de guerre font établir des lois parmi les hommes...* »

C'est donc la loi qui libère les hommes de la violence. De sorte que Montesquieu pourra affirmer que la liberté, c'est la loi. La fonction du droit, qui soumet les hommes à leur *devoir*, consiste à réprimer la guerre et la violence.

Montesquieu se place devant les faits humains : la guerre et les passions sont des faits humains. Vouloir les supprimer tout à fait serait une entreprise chimérique. Mais il est possible de les modérer. L'important, c'est donc que grâce au droit des gens, les diverses nations se fassent « *dans la paix, le plus de bien, et, dans la guerre, le moins de mal qu'il est possible, sans nuire à leurs véritables intérêts* ». Les magistrats doivent être des hommes « *qui se sont chargés de toutes les passions des autres, et ont exercé leurs droits de sens froid* ». Ils prennent au compte de la loi la vengeance des particuliers, qui risque d'être une vengeance passionnée. « *S'il n'y avait point de lois, la vengeance serait permise, non pas le sentiment qui fait que l'on aime à faire du mal pour du mal, mais un exercice de justice et de punition.* » Le droit impersonnel se substitue à la violence personnelle et passionnée : grâce à lui, les parties antagonistes vont dialoguer en présence des juges, au lieu de se combattre à mort. Le droit cependant ne prétend pas réaliser un monde d'où toute violence serait bannie. Il prévoit au contraire que la violence continuera de se manifester, et c'est pourquoi il établit d'avance la punition de chaque délit. Mais, dans son principe même, le droit est réponse à la violence : réponse mesurée à une violence qui tend par nature à la démesure. Il ramène au dialogue humain une situation qui se traduirait « naturellement » par le refus du dialogue. D'autre part, la loi est assez générale pour ne jamais engager personnellement celui qui l'applique. La peine infligée au coupable est une violence, mais « *ce n'est point l'homme qui fait violence à l'homme* ». La loi transforme le conflit en un *débat humain* et réglé, et si la punition intervient, elle découle d'une volonté *qui n'est plus humaine.* « *C'est le triomphe de la liberté, lorsque les lois criminelles tirent chaque peine de la nature particulière du crime. Tout l'arbitraire cesse, la peine ne descend point du législateur, mais de la nature de la chose...* »

Montesquieu apporte toutes les précisions désirables. La liberté « *ne consiste point à faire ce que l'on veut. Dans un État, c'est-à-dire dans une société où il y a des lois, la liberté ne peut consister qu'à pouvoir faire ce que l'on doit vouloir, et à n'être point contraint de faire ce que l'on ne doit pas vouloir. — Il faut se mettre dans l'esprit ce que c'est que l'indépendance, et ce que c'est que la liberté. La liberté est le droit de faire tout ce que les lois permettent ; et si un citoyen pouvait faire ce qu'elles défendent, il n'aurait plus de liberté, parce que les autres auraient tout de même ce pouvoir.* »

La liberté, à vrai dire, n'est que l'accomplissement normal de la légalité, de toute légalité, celle du gouvernement monarchique comme celle du gouvernement républicain. « *Chacun a appelé liberté le gouvernement qui était conforme à ses coutumes ou à ses inclinations... Un peuple libre n'est pas celui qui a une telle ou une telle forme de gouvernement : c'est celui qui jouit de la forme de gouvernement établie par la Loi, et il ne faut pas douter que les Turcs ne se crussent esclaves s'ils étaient soumis par la République de Venise...* » Et il ajoute, dans l'*Esprit des Lois* : « *La liberté même a paru insupportable à des peuples qui n'étaient pas accoutumés à en jouir. C'est ainsi qu'un air pur est quelquefois nuisible à ceux qui ont vécu dans des pays marécageux.* » Il s'agit seulement de réaliser un monde régi par des lois : une *police*. Les raffinements du luxe et de la culture, s'ils ne sont pas couronnés par un système juridique rigoureux, ne suffiront jamais à définir une société libre. « *Les nations libres sont des nations policées. Celles qui vivent dans la servitude sont des nations polies.* »

Mais réprimer la violence n'est pas chose aisée. Il n'y a pas de société organisée sans pouvoir politique. Or, tout pouvoir tend spontanément à devenir excessif : il devient une violence, même si d'abord il s'était donné pour but de parer à la violence. « *C'est une expérience éternelle que tout homme qui a du pouvoir est porté à en abuser.* » Telle est l'ambiguïté du pouvoir. D'une part il n'y a pas d'institutions légales — et par conséquent pas de liberté — s'il n'existe un pouvoir légal confié à des magistrats. Mais d'autre part tout pouvoir tend à la violence, et détruit la liberté. Accordez à tous les citoyens cette liberté philosophique qui consiste à pouvoir faire ce que l'on veut, et vous verrez que cette liberté ne tardera pas à se détruire elle-même. « *L'indépendance de chaque particulier est l'objet des lois de Pologne, et ce qui en résulte, l'oppression de tous.* » Cette liberté universelle se traduit par une violence universelle. Où trouver un État qui par sa nature assurerait la liberté ? Montesquieu affirme : « *La démocratie et l'aristocratie ne sont point des États libres par leur nature.* » Et la monarchie ? « *Dans une monarchie bien réglée, les sujets sont comme des poissons dans un filet : ils se croient libres, et pourtant ils sont pris.* » Le despotisme, lui, est pure violence : elle s'y manifeste à découvert, tout entière concentrée dans le caprice et la volonté d'un seul homme « *à qui ses cinq sens disent sans cesse qu'il est tout et que les autres ne sont rien* ». Le despote est un homme naturel, qui assouvit ses désirs naturels : il est « *naturellement paresseux, ignorant et voluptueux* ». Mais il nie l'humain, en se plaçant au-dessus de lui par le pouvoir, au-dessous de lui par la bestialité. « *Le prince est supposé n'être plus un homme.* » Dans les États despotiques, les guerres se font « *dans toute leur fureur naturelle* ». La nature dont parle ici Montesquieu, c'est la mauvaise nature, le règne de la violence à l'état sauvage. « *Nations qui vivent dans l'esclavage, où les hommes sont comme les bêtes, dont le partage est seulement l'obéissance et l'instinct.* » Les hommes retrouvent ici cette crainte animale qui était la condition présumée des individus isolés, avant la naissance des sociétés. Ces premiers hommes n'avaient point de maîtres. Les voici qui continuent à vivre dans la peur, mais sous la domination d'un tyran...

Mais la *bonne* nature s'insurge, cette « *nature humaine* » où les principes éternels de l'équité sont définitivement gravés. « *Il semblerait que la nature humaine se soulèverait sans cesse contre le gouvernement despotique.* » Et les lois du despote n'ont plus de valeur : « *En vain les lois civiles forment des chaînes ; la Loi naturelle les rompra toujours.* » Nous retrouvons ici l'ambiguïté de la nature. Elle est violence, elle est appétit de conquête, instinct de guerre ; mais c'est la « *nature humaine* » qui se révolte au nom de la liberté. Si le tyran est l'homme le plus immédiatement naturel, les satisfactions qu'il se donne sont contestées par le droit naturel.

L'image extrême du despotisme — une image formée, et forcée, d'après le modèle lointain des empires asiatiques et d'après l'exemple récent de la monarchie absolue —, fournit le terme de contraste et, en quelque sorte, l'horizon virtuel sur lequel se découpera toute institution humaine. Tout État organisé se définit *contre* la possibilité du despotisme, vers lequel l'entraîne cependant sa pente la plus facile. Le despotisme est violence nue. Mais tous les États recèlent une violence masquée, qui n'attend que d'éclater au grand jour. Que la monarchie, la république, l'aristocratie cèdent aux forces qui les font dégénérer, c'est dans le despotisme qu'ils vont converger et se confondre. Chaque gouvernement se corrompra à sa manière propre (chaque corps fait *sa* maladie). Le résultat de chacune de ces corruptions est toujours l'installation définitive de la violence, la mort de la liberté. « *La monarchie dégénère ordinairement dans le despotisme d'un seul ; l'aristocratie, dans le despotisme de plusieurs ; la démocratie, dans le despotisme du Peuple.* » Non seulement les différents types de gouvernements ne sont pas libres « *par leur nature* », mais la menace y est constante de voir l'autorité impersonnelle des lois supplantée par la volonté personnelle d'un homme ou d'un groupe social.

Telle est donc l'antithèse. Nous sommes libres partout où il y a des institutions, partout où un organisme social se développe selon ses lois ; mais nous cessons d'être libres sitôt que le pouvoir devient violence, — et tout pouvoir, par définition, tend à devenir abusif. Une seule ressource : fragmenter le pouvoir, et disposer les différentes forces de telle façon qu'elles s'annulent très exactement. Ainsi le problème des limites, des bornes, des freins du pouvoir, se traduit-il mécaniquement et géométriquement en un problème de vecteurs. Pouvoir contre pouvoir : la vraie liberté va en résulter. « *La liberté politique ne se trouve que dans les gouvernements modérés. Mais elle n'est pas toujours dans les États modérés, elle n'y est que lorsqu'on n'abuse pas du pouvoir ; mais c'est une expérience éternelle que tout homme qui a du pouvoir est porté à en abuser ; il va jusqu'à ce qu'il trouve des limites. Qui le dirait ! la vertu même a besoin de limites. — Pour qu'on ne puisse pas abuser du pouvoir, il faut que, par la disposition des choses, le pouvoir arrête le pouvoir. Une constitution peut être telle que personne ne sera contraint de faire les choses auxquelles la loi ne l'oblige pas, et à ne point faire celles que la loi permet.* »

Tout est dans ces lignes : il suffira de montrer par la suite comment la constitution anglaise agence les divers pouvoirs, pour assurer la liberté du citoyen. « *Voici donc la constitution fondamentale du gouvernement dont nous parlons. Le corps législatif y étant composé de deux parties, l'une enchaînera l'autre par sa faculté mutuelle d'empêcher. Toutes les deux seront liées par la puissance exécutrice, qui le sera elle-même par la législative. — Ces trois puissances devraient former un repos ou une inaction. Mais comme, par le mouvement nécessaire des choses, elles sont contraintes d'aller, elles seront forcées d'aller de concert.* »

Remarquons ici que, dans sa description d'un régime tempéré, Montesquieu n'en appelle nullement aux bons sentiments des hommes, comme faisaient la plupart des utopistes de son temps. Il ne compte qu'avec des forces dont la tendance spontanée serait la violence si quelque dispositif ne les arrêtait, en les obligeant à s'entr'empêcher. Il n'attend aucun mouvement de charité ou d'amour qui s'interposerait pour faire échec à la violence et à la démesure : il se préoccupe d'équilibrer les tensions adverses de telle façon que la violence se paralyse elle-même. L'image de la machine réglée s'impose ici : le problème n'est que d'aménager les poids et les contrepoids. Montesquieu évoque volontiers cette analogie : « *Pour faire un gouvernement modéré, il faut combiner les puissances, les tempérer, les faire agir et les régler ; donner, pour ainsi dire, un lest à l'une pour la mettre en état de résister à une autre.* » Au démiurge horloger de la religion déiste correspond un législateur mécanicien, soucieux de la juste *pondération*, c'est-à-dire de l'équilibre des *poids* opposés. Ainsi trouverons-nous une stabilité, un mouvement calme — qui sera l'expression de puissances toujours en action, mais devenues « *invisibles et nulles* ».

Pour réaliser ce système de poids et de contrepoids, il faut un point fixe qui serve de centre et de pivot ; il faut un système légal assez puissant, assez stable par lui-même, pour que les forces en présence se maintiennent comme à distance les unes des autres, parfaitement distinctes et toujours constantes. Elles s'adaptent et s'influencent de loin ; la loi qui les écarte les unes des autres empêche qu'elles ne confluent ou qu'elles n'entrent en conflit direct. Aucune d'elles ne pourra supprimer ou absorber les forces concurrentes. A la condition que le droit constitutionnel impose la stabilité et exerce une « *force réprimante* » capable de prévenir tout excès. Le droit apparaît ici comme la force juste qui réprime les forces mauvaises ; il est la force *équilibrante* qui s'oppose aux forces du déséquilibre, — c'est-à-dire aux forces qui, chacune suivant *sa propre loi*, en viendraient à détruire ou à nier tout obstacle et toute limite rencontrée. En face de la violence, qui n'est affirmation que de soi seul, et qui ne souffre pas que l'*autre* s'affirme à son tour, la loi de l'État libre assure la coexistence de plusieurs affirmations simultanées. De plusieurs religions, par exemple, — dont chacune, si elle n'en était empêchée, serait férocement intolérante à l'égard des autres : contraintes à vivre les unes à côté des autres, elles vont devoir être plus vigilantes et plus pures. Mais, tout au moins en ce qui concerne la religion, l'idéal d'équilibre proposé par Montesquieu révèle bien sa nature *statique* et sa crainte d'une dynamique novatrice : « *Voici donc le principe fondamental des lois politiques en fait de religion. Quand on est maître de recevoir dans un État une nouvelle religion, ou de ne pas la recevoir, il ne faut pas l'y établir ; quand elle y est établie, il faut la tolérer.* » La loi saura équilibrer les forces qui sont *déjà* en présence. Cet ordre une fois réalisé, elle va chercher à écarter toute force nouvelle qui pourrait modifier une harmonie si difficilement obtenue. Il faut désirer la pondération, et, l'ayant trouvée, il n'y aura plus rien à inventer, il nous suffira de *persister*, sans agrandir le territoire, sans modifier l'esprit des institutions, en nous gardant de recevoir au sein de la cité aucun élément *imprévu*.

Où la loi commande, les passions se taisent. Mais qui garantira, en pratique, l'autorité de cette loi qui réprime la violence ? Il lui faut bien disposer de quelque puissance, pour s'opposer aux excès de la puissance. D'où la tiendra-t-elle ? Du ciel ? Vient-elle des hommes ? Il faut qu'elle ait l'autorité des choses célestes, il faut que les hommes y reconnaissent leur commun intérêt. Mais elle n'est volonté particulière de personne, ni de Dieu, ni du Prince, ni de ce *moi* collectif que Rousseau appelle la « volonté générale ». Montesquieu — comme presque tous les hommes de son époque — refuse de se soumettre à un droit qui aurait sa source dans une *subjectivité*. Une subjectivité commence toujours par se vouloir soi-même : elle est donc violence. La loi que souhaite Montesquieu est une puissance impersonnelle et sans origine, qui plane au-dessus des existences subjectives pour les concilier et les harmoniser. Il faut qu'en obéissant à la loi, l'on n'obéisse réellement à personne. Dans la cité libre, personne ne commande, mais tout le monde obéit. Ceci veut dire que loi ne sera jamais l'expression d'une violence humaine, et qu'elle ne tirera son autorité que de son universalité et de sa bienfaisance. On ne doit pas la soupçonner de protéger et de perpétuer les privilèges d'un petit nombre de citoyens. Sinon la force réprimante de la loi ne serait qu'une violence suprême parmi les violences particulières. Qui m'assure, en effet, qu'elle n'est pas l'expression de l'*une* de ces violences en lutte pour la suprématie, et qui, victorieuse, accapare l'absolu et parle désormais le langage de l'intérêt général ?

Ici reparaît la religion, mais seulement pour venir au secours de la *loi civile*, en tant que « *motif réprimant* ». Cette religion, « épurée » et ramenée à ses exigences « naturelles », constituera un frein de plus. Tel est le principe qui permettra, selon des idées que Montesquieu partage avec Warburton, d' « unir » les « intérêts » de la « vraie religion » aux intérêts politiques : « *Il est très utile que l'on croie que Dieu est. De l'idée qu'il n'est pas, suit l'idée de notre indépendance ; ou, si nous ne pouvons pas avoir cette idée, celle de notre révolte. Dire que la religion n'est pas un motif réprimant parce qu'elle ne réprime pas toujours, c'est dire que les lois civiles ne sont pas un motif réprimant non plus... Quand il serait inutile que les sujets eussent une religion, il ne le serait pas que les princes en eussent, et qu'ils blanchissent d'écume le seul frein que ceux qui ne craignent point les lois humaines puissent avoir. — Un prince qui aime la religion et qui la craint, est un lion qui cède à la main qui le flatte, ou à la voix qui l'apaise : celui qui craint la religion et qui la hait, est comme les bêtes sauvages qui mordent la chaîne qui les empêche de se jeter sur ceux qui passent : celui qui n'a point du tout de religion, est cet animal terrible qui ne sent sa liberté que lorsqu'il déchire et qu'il dévore.* »

Liberté inhumaine et trop humaine, que rien ne réfrène. La religion, ici, vise moins à soumettre l'homme à Dieu qu'à l'*humaniser* entièrement. Montesquieu fait assez confiance à la nature humaine pour souhaiter qu'elle ne soit jamais asservie, mais cette même nature ne lui paraît pas digne d'être livrée à elle-même et entièrement *déchaînée* : l'homme qui n'a point de chaîne déchoit jusqu'à n'être qu'une bête. Fréquemment l'on retrouve chez lui cette image des possibilités bestiales, prêtes à surgir dans toute leur fureur. Les nations qui vivent dans l'esclavage ne sont-elles pas comparables à des bêtes ? Despotisme, esclavage, irréligion, ce sont les conditions où l'animalité de l'homme reprend le dessus. Mais où l'homme s'élèvera-t-il à son plus haut pouvoir ? Montesquieu écrit dans l'un de ses cahiers : « *Un homme qui tient sa parole devient aussi semblable aux Dieux qu'il est possible.* » Déclaration importante, puisqu'ici Montesquieu n'enchaîne plus l'homme à quelque puissance supérieure ou extérieure, mais à sa propre parole.

Soumis à la religion, soumis à la loi, soumis à sa propre parole, l'homme, *en s'enchaînant volontairement*, accomplit le meilleur de l'humain. Il n'est pleinement homme qu'à partir du moment où il rencontre des *interdits*, c'est-à-dire à partir du moment où sa violence « naturelle » rencontre une contre-violence... Les interdits, ici, ont beau n'être que l'*ombre* laïcisée des interdits *sacrés* auxquels obéissaient les civilisations religieuses : Montesquieu les suppose d'autant plus efficaces. Car la foi, dans ses affirmations fondamentales, n'est pas une anti-violence, mais une violence irrationnelle. Le christianisme, à son origine, n'est pas une idée modératrice : il apporte une révélation violente, le supplice de l'Homme-Dieu. « *On ne croit pas tranquillement des choses violentes.* » Montesquieu va faire de la religion l'associée complaisante du droit. La civilisation laïque dont il est l'interprète reposera sur l'autorité du corps des lois : les interdits seront de nature abstraite et rationnelle. Le juridique sera paré d'une autorité sacrée, mais le sacré désormais n'a plus qu'une fonction juridique. La violence humaine a été surmontée par le *langage* raisonnable de la loi, mais la Parole irrationnelle de la révélation a été abaissée vers l'humain, — jusqu'à n'être plus qu'un langage raisonnable, identique ou du moins comparable à celui de la loi. La loi, selon Montesquieu, est donc de nature double : elle détient l'héritage du sacré, et elle affirme le meilleur de l'humain, qui est la volonté de *tenir parole*. Du divin, elle garde la souveraineté ; de l'humain, elle maintient le souci de l'utile. Mais au prix d'un double sacrifice (qui lui est aisé) : elle a sacrifié la *transcendance* du divin, elle a renoncé à la *passion* trop humaine. Tel est le spectacle du monde régi par la Loi : les hommes, qui ne peuvent plus user de violence, sont dominés par une Loi, qui ne leur parle plus de leur salut éternel.

Cette liberté n'a rien d'un sentiment : elle ne remplit, ni n'exalte les cœurs. Les hommes, simplement, se savent en sécurité, et, s'ils sont bons citoyens, ils préserveront cet ordre qui les délivre de la peur. Chacun, désormais, peut commencer à vivre selon ses fins particulières, et chercher son bonheur personnel : il n'empiétera sur les droits de personne, et personne n'empiétera sur les siens. Obéissant à la loi, dépendant les uns des autres, les hommes pourront retourner à leurs intérêts *privés*. Et, faisant tout ce que la loi ne leur défend pas expressément, produisant, échangeant des biens, non seulement ils se sentiront dans leur bon droit mais ils pourront se dire qu'ils contribuent à l'intérêt commun. Montesquieu leur en donne la certitude. Il ne leur sera pas nécessaire d'avoir constamment la loi et la liberté sous les yeux : celles-ci leur permettront de tourner leur attention vers *autre chose*. De même que l'homme heureux est celui qui ne se pose plus le problème du bonheur, l'homme libre est celui qui vit et agit sans revenir sur cette liberté qui lui permet de vivre et d'agir. La loi a fait disparaître la guerre et la violence ; elle veille à les empêcher de sévir dans la cité. C'est une muraille qui délimite un espace humain : l'État. Au delà commence la violence. Mais cette muraille abstraite est au pourtour de la cité. A l'intérieur, l'espace est libre pour toutes les activités humaines. Sous la garde de la Justice, on pourra *laisser faire* les citoyens. La concurrence des industries sera utile, la liberté du commerce servira au bien-être des peuples, la rivalité et l'ambition profiteront à la patrie : « *Comme le monde physique ne subsiste que parce que chaque partie de la matière tend à s'éloigner du centre, aussi le monde politique se soutient-il par ce désir intérieur et inquiet que chacun a de sortir du lieu où il est placé. C'est en vain qu'une morale austère veut effacer les traits que le plus grand des ouvriers a imprimés dans nos âmes. C'est à la morale, qui veut travailler sur le cœur de l'homme, à régler ses sentiments, et non pas à les détruire.* » La morale, elle aussi, va s'effacer discrètement : elle se contentera de poser les bornes qu'il est interdit d'outrepasser ; pour le reste, elle laissera faire. L'autorité que Montesquieu requiert de la Loi, de la Morale, de la Religion, n'a pour mission que d'établir solidement cette enceinte abstraite et cette force réprimante qui s'opposeront à tout retour offensif de la violence. Cela obtenu, les hommes demanderont à n'avoir plus si constamment la religion et la morale à leurs côtés : qu'elles se contentent de donner des conseils, et qu'elles ne nous embarrassent pas de leurs préceptes. Nos actes seront suffisamment justifiés s'ils sont utiles, et s'ils ne nuisent à personne.

La liberté a donc cette double valeur. Elle est, d'une part, la fin suprême de l'activité politique ; et en effet, celui qui instaure la liberté dans un État accomplira l'*action* humaine par excellence. Mais d'autre part, elle n'est qu'un moyen : le truchement par lequel les hommes peuvent travailler, posséder, s'enrichir pour leur propre compte. Cette image de la liberté — à laquelle le libéralisme moderne prétendra se conformer — voue l'homme à la communauté, mais pour le rendre aussitôt à lui-même. La loi qui *enchaîne* les citoyens au sein de l'État, les libère en vue de leurs fins particulières. L'affirmation de l'individu contrebalance l'affirmation de la communauté régie par la Loi. L'individu veut la loi, et la loi, en retour, veut l'individu. C'est ainsi que l'individu *a le droit* de se vouloir lui-même. Mais, tandis que l'homme *violent* se voulait lui-même *immédiatement*, l'individu *libre* se veut lui-même à travers la *médiation de la loi*.

Que cet équilibre est fragile ! Il est menacé de toutes parts. La sécurité dont on jouit dans les États libres n'autorise pas les citoyens à se désintéresser de leur destin politique Ils peuvent perdre leur sécurité d'un jour à l'autre. Il faut rester en éveil, continuer à lutter à la fois contre les risques de tyrannie et les risques de licence, contre l'excès d'indépendance des particuliers et l'excès de pouvoir du gouvernement. Il y a péril partout. L'idée de modération, chez Montesquieu, implique une perpétuelle vigilance. « *La servitude commence toujours par le sommeil.* » Mieux vaut déjà vivre dans l'inquiétude et l'impatience : « *Un peuple qui n'a de repos dans aucune situation, qui se tâte sans cesse, et trouve tous les endroits douloureux, ne saurait s'endormir...* » La liberté peut périr par d'innombrables causes, et la grossière violence n'est pas la seule ennemie à craindre. Dans un mécanisme si compliqué, il suffit que l'un des rouages s'arrête ou que l'un des leviers cède. Le célèbre chapitre VI du livre XI de l'*Esprit des Lois*, où Montesquieu développe son analyse de la liberté anglaise, est ponctué plus de vingt fois par une phrase au conditionnel : « *... Il n'y aurait plus de liberté, si...* », « *Tout serait perdu, si...* » Et l'image de la ruine de la nation libre apparaît au terme de ce chapitre : « *L'État dont nous parlons perdra sa liberté.* » La liberté définit la norme d'une *santé* qui est à la merci d'un très grand nombre de maladies. La liberté est vulnérable. Le *corps* social se corrompt comme un organisme humain. Il s'use, vieillit et meurt comme lui. Rien n'assure, en tout cas, que le monde aille nécessairement vers plus de liberté. L'histoire n'a pas fonction de protéger et de faire advenir le meilleur. Et puis il ne faut pas vouloir tout libérer. « *La vertu même a besoin de limites.* » Car d'autres valeurs sont peut-être légitimes ; des organismes définis par d'autres normes ont le droit d'exister. Le pluralisme de Montesquieu se fait, à plus d'un moment, assez généreux pour accepter, à côté des États libres et des républiques régies par la vertu, des États moins libres et moins vertueux. Il est alors étrange de voir ce pluralisme — principe de tolérance et de liberté — restreindre le champ d'application de la liberté, afin de ne pas contraindre tous les hommes à un même système politique. Il n'y a point là contradiction : l'application *rigoureuse* et universelle de l'idéal de liberté deviendrait une violence. La diversité avec moins de liberté vaut encore mieux que la liberté sans diversité.

D'autre part, la violence, rejetée hors des cités, mise hors la loi par le droit civil, continue de sévir entre les différents États. Il n'y a point de loi écrite (il n'y a que la religion et le droit naturel) qui régisse les rapports des princes. La guerre, qui n'a plus lieu entre les individus, recommence entre les nations. La liberté, menacée déjà à l'intérieur des cités, n'existe nulle part dans les relations internationales. Il faut relire ici le chapitre XX du livre XXVI : « *La liberté*

*Ci-dessous, une lithographie d'Alaux.*

*La chambre à coucher de Montesquieu.* « Cette chambre montre l'extrême simplicité du grand homme qui avait compris les grands peintres d'Italie et pour lequel tout ornement bourgeois et mesquin faisait *laideur*. Cette chambre n'a qu'une seule fenêtre, à la vérité assez grande et ouvrant au midi... Elle est boisée en noyer d'une couleur point sombre et nullement majestueuse. » (Stendhal, *Voyage dans le Midi de la France.)*

*consiste principalement à ne pouvoir être forcé à faire une chose que la loi n'ordonne pas ; et on n'est dans cet état que parce qu'on est gouverné par des lois civiles : nous sommes donc libres, parce que nous vivons sous des lois civiles. — Il suit de là que les princes, qui ne vivent point entre eux sous des lois civiles, ne sont point libres ; ils sont gouvernés par la force ; ils peuvent continuellement forcer ou être forcés. De là il suit que les traités qu'ils ont faits par force sont aussi obligatoires que ceux qu'ils auraient faits de bon gré. Quand nous, qui vivons sous des lois civiles, sommes contraints à faire quelque contrat que la loi n'exige pas, nous pouvons, à la faveur de la loi, revenir contre la violence ; mais un prince, qui est toujours dans cet état dans lequel il force ou il est forcé, ne peut pas se plaindre d'un traité qu'on lui a fait faire par violence. C'est comme s'il se plaignait de son état naturel ; c'est comme s'il voulait être prince à l'égard des autres princes, et que les autres princes fussent citoyens à son égard ; c'est-à-dire, choquer la nature des choses.* »

Il n'est pas interdit, bien sûr, de vouloir transformer la nature des choses et faire de l'ensemble des nations une sorte de société, dominée par une loi impersonnelle qui supprimerait entre elles toute violence. Chaque État, alors, se comporterait comme un individu, et reconnaîtrait en son prochain un égal. « *A présent que l'univers ne compose presque qu'une nation...* » L'idée d'une *sécurité* internationale peut alors être imaginée, sur le modèle de la *sécurité* des citoyens libres. « *Les nations, qui sont à l'égard de tout l'univers ce que les particuliers sont dans un État, se gouvernent comme eux par le droit naturel et par les lois qu'elles se sont faites.* » Mais, en dépit d'une affirmation si confiante, la violence persiste : elle nous circonvient de toutes parts... Et la plus singulière de ses métamorphoses consiste à se mettre au service de la liberté, dans « *ces magistratures terribles qui ramènent violemment l'État à la liberté* ». Et alors surgissent les grandes questions : est-il permis de faire violence pour instaurer le règne de la non-violence et de la liberté ? C'est ce que fait Sylla ; mais il avoue lui-même qu'il *méprise* les hommes... Et dans un État déchiré par la lutte des factions, pouvons-nous arguer de notre refus de la violence et de notre amour de la liberté, pour nous tenir neutres ? N'est-il pas inévitable que la violence nous entraîne vers un parti ou vers l'autre ? Montesquieu note dans ses cahiers : « Malheur des guerres civiles. —

*Il ne faut pas me dire qu'au milieu de deux différentes factions je n'ai qu'à me tenir neutre. Car quel moyen d'être sage quand tout le monde est fou, et d'être froid dans la fureur générale ? D'ailleurs, je ne suis point isolé dans la Société, et je ne puis m'empêcher de prendre part à une infinité de choses auxquelles je tiens. De plus, le parti de la neutralité n'est pas prudent : car je serai bien sûr d'avoir des ennemis, et je ne serai pas sûr d'avoir un ami. Il faut donc que je prenne un parti. Mais si je choisis mal ? De plus, le parti le plus fort peut ne l'être pas partout, de façon que je puis fort bien mourir le martyr de la faction dominante ; ce qui est très désagréable.* » Sans compter que l'État lui-même s'en ressentira : « *Quand, dans une république, il y a des factions, le parti le plus faible n'est pas accablé plus que le plus fort. C'est la République qui est accablée.* » Violence qui se retourne ensuite contre les autres peuples : « *Il n'y a point d'État qui menace si fort les autres d'une conquête que celui qui est dans les horreurs de la guerre civile. Tout le monde, noble, bourgeois, artisan, laboureur, y devient soldat : et lorsque par la paix les forces sont réunies, cet État a de grands avantages sur les autres qui n'ont que des citoyens.* » Ainsi, de proche en proche, se propage une guerre à laquelle il nous est impossible de nous refuser, et qui nous éloignera de la liberté, sans possibilité de retour.

La libération de la peur a été la grande affaire du siècle des lumières : contempler la nature sans frayeur ; rendre hommage (de très loin) à un Dieu qui n'inspire ni crainte ni tremblement ; donner aux hommes, comme le fait Montesquieu, l'idée d'une société où ils n'auront rien à redouter de leurs semblables...

Mais au moment où l'on s'efforce d'assurer le triomphe de la liberté, ce siècle s'achève par une Terreur. La peur fait sa rentrée solennelle et, comme par dérision envers Montesquieu, se donne alors pour libératrice. Pour avoir cru trop aisément expulser la violence et laisser la place libre aux activités raisonnables et bienfaisantes, le siècle semble avoir provoqué le choc en retour de la démesure et des instincts troubles, comme s'ils se vengeaient de ce qu'on avait cessé de compter avec eux. L'excès, en quoi Montesquieu voyait une forme d'asservissement, renaît au cœur même de l'idée de liberté.

*La bibliothèque*. « Pièce immense et aussi simple que la chambre. La voûte, en plein cintre, est recouverte de planches peintes d'une couleur claire. La pièce peut avoir 50 pieds de long et 20 de largeur. » (Stendhal, *ibid.*)

« J'ai aperçu un édifice sans façade, à peu près rond, environné de fossés fort larges remplis d'une eau fort propre, mais couleur de café... Cet aspect horriblement triste et sévère m'a rappelé le château où Armide retenait prisonniers les chevaliers chrétiens qu'elle avait amenés du camp des Croisés. » ( Stendhal, *ibid.*)

Car l'homme du XVIII$^e$ siècle, éveillé depuis peu à la conscience de l'histoire et à la responsabilité civique, s'apprêtait à engager dans la vie politique le sentiment de l'absolu, qu'il avait cessé de rattacher aux dogmes de la foi religieuse. Désormais, la passion absolue cherchera à s'employer au service de la Nation, du salut public, du bonheur du peuple. Et elle qualifiera de criminel tout ce qui l'empêchera de réaliser ses fins. Elle se dévouera, pardessus tout, à l'idée de liberté... Mais l'image qu'en a produite Montesquieu ne peut plus suffire. Cette liberté, qui n'offre point de visage à adorer, qui ne fait que dire non à la violence, qui n'est qu'un dispositif assurant mécaniquement et presque automatiquement la sécurité, on ne peut l'exalter ni comme fin ni comme principe des sociétés humaines. Valeur de conservation plutôt que de création, elle n'est promue par aucune mythologie messianique ; la loi seule est *première* et peut revendiquer la majesté de l'absolu, — quand elle n'est pas relative et soumise aux variations du climat. Et cet absolu qu'il a proposé ne requiert ni l'amour ni le sacrifice : il n'appelle que l'obéissance raisonnable... Il n'y a rien là qui puisse enthousiasmer.

Rousseau inventera une tout autre liberté. Dans *Le Contrat social*, ce n'est plus la loi qui précède et conditionne la liberté, c'est la liberté qui décide des lois. Pour Montesquieu, il n'y avait de liberté qu'à l'ombre des lois ; pour Rousseau, il n'y aura de loi qu'issue de la liberté. Le livre de Montesquieu commençait par l'affirmation et la définition de la loi. *Le Contrat social* commence par l'affirmation passionnée de la liberté et par le *ressentiment* contre le joug imposé aux hommes : « L'homme est né libre, et partout il est dans les fers... » Chez Rousseau, la liberté est le fondement mystique du système. Ce que Montesquieu appelait liberté philosophique — la liberté de faire ce qu'on *veut* — Rousseau l'attribue à la communauté entière, l'appelle volonté générale et en fait la source de toute légalité, la seule puissance législative : « Tout gouvernement légitime est républicain. » Il est « guidé par la volonté générale, qui est la loi ». La liberté n'apparaît plus comme la résultante d'une heureuse composition des forces, elle est la force primordiale. Et, ce qui prouve bien la nature sacrée de la volonté générale, celle-ci restera « toujours constante, inaltérable et pure », alors même que tous les citoyens lui seront infidèles. Rousseau n'est pas loin de dire : au commencement était la liberté, ce qui permet à la revendication révolutionnaire de coïncider — pour un instant — avec la nostalgie de la vie originelle. Écrivant le *Contrat social*, il est en quête d'une innocence politique, tout comme il est ailleurs en quête de sa propre innocence intérieure. L'idée de pureté, l'idée d'unité, animent pareillement la représentation du moi et la représentation de la société : Rousseau projette dans la vie de la société les thèmes de sa mythologie personnelle. Il aspire à trouver le moment où rien n'est divisé, où la spontanéité du désir ne fait qu'un avec l'exigence de la simple et pure vertu.

Certes, Rousseau veut aussi qu'en obéissant à la volonté générale, le citoyen n'obéisse à personne. Mais la volonté générale est la subjectivité d'un moi collectif. Et sa théorie qui part de l'indépendance naturelle pour construire la volonté générale, passe visiblement d'une subjectivité solitaire à une subjectivité collective. Nous remarquions en définissant le bonheur chez Montesquieu, que l'intérêt pour la conscience intérieure lui était étranger. La conscience qui chez lui proteste contre l'esclavage, c'est la conscience humaine *en général* et non la subjectivité personnelle : les élans mêmes de son cœur sont mis au compte de l'humanité... Le conflit de la liberté-sécurité et de la liberté-passion nous fait retrouver ici l'opposition que nous avions notée entre les deux images contradictoires du bonheur. Le bonheur selon Montesquieu, équilibre et continuité d'action au sein d'un monde humain que nul appel surnaturel ne trouble, va s'accomplir à la faveur de cette liberté politique pondérée qui résulte, par conséquence indirecte, d'une intelligente répartition des forces. Ceux au contraire qui renonceront au bonheur de continuité tranquille, et qui se voueront à l'intensité exaltante, feront de la liberté-passion une valeur privilégiée, la plus haute valeur subjective : elle se chargera pour eux d'une électricité sacrée ; elle les illuminera d'un éclat surnaturel. La Liberté deviendra alors la figure centrale d'une nouvelle religion. Rousseau affirme : « Jamais État ne fut fondé que la Religion ne lui servît de base. » Au dernier chapitre du *Contrat social*, les problèmes du droit politique se révèlent, en leur fond, des problèmes religieux. C'était prolonger rigoureusement une réflexion qui, tout au long de ses développements, avait constamment placé la liberté, l'unité, l'unanimité, dans une lumière divine. Liberté, unité, — termes religieux qui ont été transposés dans le temporel de la vie politique, mais sans rien perdre de leur pouvoir de fascination. Rousseau a vu profond : la crise politique de son époque était une crise du sacré. Et tandis que Montesquieu conteste au nom de la raison le bien-fondé des croyances, pour les accueillir ensuite très prudemment, en guise d'auxiliaires de la loi, après les avoir « épurées », c'est-à-dire privées de leur contenu religieux, Rousseau ouvre à l'élan irrationnel le champ d'une nouvelle dévotion. Le sentiment religieux, détourné de sa fin transcendante, mais non pas dépouillé de son élan de sacrifice et d'amour, vient habiter et bouleverser la politique... Quelles que soient les précautions de Rousseau — qui ne veut ni une religion séparée de l'État, ni une religion de la Nation édifiée —, il n'en finit pas moins par appeler vers la communauté et vers son destin politique toutes les forces d'adoration, de terreur, et de sacrifice. Il a, le premier, proposé un nouvel emploi aux énergies religieuses que la critique rationaliste avait séparées du christianisme et rendues disponibles. Désormais, l'idée de la liberté ne correspondra plus à l'image d'un bonheur tranquille et modéré, elle fera appel à des forces qui n'acceptent pas d'être contenues, et qui se déploieront jusqu'à la limite de l'impossible. Livrée à son élan, la passion de la liberté ne redoutera ni l'excès, ni la démesure, même si elle doit provoquer sa propre catastrophe. Toute limitation lui sera intolérable. Nous reconnaissons une passion à sa façon de provoquer la mort et de consentir au rien si elle n'obtient pas le tout : la Révolution inscrira sur ses drapeaux : la liberté ou la mort. Et elle aura ses martyrs. Et ses grands inquisiteurs : « Pas de liberté pour les ennemis de la liberté. » Rousseau n'avait-il pas écrit : « Quiconque refusera d'obéir à la volonté générale y sera contraint par tout le corps : ce qui ne signifie autre chose, sinon qu'on le forcera d'être libre. » Le libertaire, avide de vivre jusqu'au bout l'aventure libératrice, recourra à une violence qui fait horreur au libéral : « Ils veulent être libres et ils ne savent pas être justes. » (Sieyès). Le sacré comporte nécessairement le tragique. Et « l'Ange Liberté », entouré d'un très auguste flamboiement, recevra une adoration qui pourrait aussi bien s'appeler terreur : les instruments de son culte seront les arbres de mai comme les échafauds. La personne divine, qui guide le peuple sur les barricades, s'avance parmi les vivants et les morts.

Mais le problème de la liberté politique se prolonge en un autre problème : le problème de l'organisme. Le choix entre les deux formes de liberté est en réalité un choix entre deux types d'organisation. En effet, en bons disciples de Hobbes, qui comparait la société à un *corps*, les hommes du XVIII^e siècle ont pensé l'organisation sociale comme s'ils avaient à définir un organisme animé. Par-delà les types antagonistes du bonheur et les types contraires de liberté, s'opposent deux représentations très différentes de la physiologie du corps : mécanisme et vitalisme. La liberté selon Montesquieu, c'est bien l'harmonieux fonctionnement d'un être vivant décrit selon l'explication mécaniste, dans la tradition de la physiologie cartésienne : l'organisme est une machine, composée de parties relatives les unes aux autres, mais dont chacune est régie indépendamment par les lois élémentaires du monde physique. Sa perfection consiste dans la perfection de son automatisme. La totalité est la résultante de la relation des parties les unes avec les autres.

Telle est la portée véritable du relativisme de Montesquieu : il ne vise pas à affirmer que rien n'est absolu, mais plutôt que tout est *en relation ;* nous voyons ce relativisme à l'œuvre — et réalisant son chef-d'œuvre — dans la démonstration des conditions nécessaires à la *cohérence* interne d'un organisme donné. Chaque organisme atteint à son degré parfait de fonctionnement en réalisant l'accord des éléments qui lui *conviennent*. D'où le fait que des organismes très différents pourront coexister si l'accord des parties se fait en chacun d'eux conformément à la loi. Voilà qui justifie la diversité, et qui fait de chaque groupe social un être vivant, une machine originale, un corps séparé, organisé selon sa loi, mais sur la base des théorèmes universels de la mécanique. L'État est l'organisme suprême, il est l'organisme des organismes. Des correspondances multiples devront s'établir entre les lois et la nature du gouvernement. Elles seront « *relatives à la qualité du terrain, à sa situation, à sa grandeur ; au genre de vie des peuples, laboureurs, chasseurs ou pasteurs ; elles doivent se rapporter au degré de liberté que la constitution peut souf-*

*frir ; à la religion des habitants, à leurs inclinations, à leurs richesses, à leur nombre, à leur commerce, à leurs mœurs, à leurs manières. Enfin, elles ont des rapports entre elles ; elles en ont avec leur origine, avec l'objet du législateur, avec l'ordre des choses sur lesquelles elles sont établies. C'est dans toutes ces vues qu'il faut les considérer.* » La structure globale résultera « *en raison composée* » de ces constituants partiels. La complexité de l'ensemble n'empêche pas qu'il ne se compose d'éléments simples. Le relativisme de Montesquieu, par-delà sa fonction analytique, prend ici l'aspect d'une force organisatrice, qui construit des ensembles vivants en combinant des relations élémentaires ; la norme de l'organisme s'établit à partir des lois inorganiques, qui précèdent la vie. Car la pensée mécaniste n'attribue aucun mystère à la substance animée. Citons ici un texte scientifique de Montesquieu : « *On peut dire que tout est organisé, tout animé. Le moindre brin d'herbe fait voir des millions de cerveaux. Tout meurt et tout renaît sans cesse... La matière, qui a eu un mouvement général, par lequel s'est formé l'ordre des cieux, doit avoir des mouvements particuliers qui la portent à l'organisation.* » Cependant, cette vie universelle n'est que la continuation des phénomènes les plus simples de la mécanique des fluides : « *L'organisation, soit dans les plantes, soit dans les animaux, ne peut guère être autre chose que le mouvement des liqueurs dans les tuyaux. Des liqueurs circulantes peuvent facilement former d'autres tuyaux, ou en allonger d'autres...* »

Quelle est la liberté d'un tel organisme ? Il n'est pas son propre créateur, il n'a pas le pouvoir de s'inventer spontanément lui-même. Sa liberté ne peut consister que dans l'aisance avec laquelle chaque organe accomplit sa fonction propre, sans jamais compromettre l'accomplissement des autres fonctions solidaires. La pensée mécaniste voit le bonheur résulter à la fois de l'individualisation des parties et de leur dépendance réciproque. Mais l'organisme doit consentir à des lois rigoureuses avant de découvrir son harmonie. Ainsi Montesquieu avait-il défini la liberté politique : fonctionnement sans heurt et conforme à la loi, — plutôt que libre invention par la communauté de sa règle politique... En face de la pensée mécaniste, qui voit dans la liberté le chef-d'œuvre de l'organisation, le vitalisme, en termes inverses, verra dans l'organisation l'exploit de l'élan libre. La vie n'est pas soumise aux lois du monde inanimé, elle est invention de sa propre norme. Elle est une force mystérieuse, distincte de toute autre force, et elle veut librement son organisation, comme la « volonté générale » veut la loi. L'énergie originelle traverse et entraîne tout l'organisme. La totalité vivante n'est plus seulement addition et interaction des parties, elle est cette unité qui les précède et les englobe. Le corps, désormais, n'a de sens qu'à partir de sa totalité...

Tous ces problèmes ont été repris, dépassés, oubliés, retrouvés, transformés. Ils sont toujours les nôtres. Si nous nous trouvons aujourd'hui éloignés de Montesquieu, c'est pour avoir suivi l'impulsion qu'il avait communiquée à la pensée européenne. Il a, l'un des premiers, rendu évidents les rapports du bonheur personnel et de la liberté politique ; il a prouvé que l'on ne pouvait parler de liberté sans parler d'organisation. Il a fait de la Loi une question, alors même qu'il s'efforçait de la mettre hors de question. Il a esquissé une image de l'homme-citoyen et rêvé d'une vertu politique. Il a prophétisé que l'Europe cesserait d'être « *le tyran des trois autres parties du monde* ». Il a reconnu que l'on entrait dans un âge « *où il n'y a plus que de grandes guerres* ». Et, s'il demandait qu'on ne touche aux lois que d'une main tremblante, il a enseigné qu'il y a quelque chose à faire en faveur de la justice... Le feu a pris, gaîment ; il a répandu une grande lumière. Il a brûlé tout ce qu'il avait à brûler, et même davantage. Il nous éclaire encore : et ce n'est pas un vain mérite que de rappeler aux hommes qu'ils peuvent dominer allègrement, clairement, humainement, leur destin historique. Qu'ils peuvent comprendre, s'ils savent regarder. Qu'ils peuvent — si seulement ils le veulent — opter contre les craintes nocturnes, et prendre le parti du plein jour. N'y eût-il que cet encouragement, ce serait assez pour que Montesquieu ne nous quitte plus. Même si nous n'avons plus le droit de revenir à cette liberté et à ce bonheur qu'il eut pour partage, et dont le secret, en définitive, ne se transmet pas.

JEAN STAROBINSKI.

CHARLES LOVIS SECONDAT DE MONTESQVIEV
DIRECTEVR EN LANNEE 1718

L'ESPRIT DES LOIX
Charles de Secondat Baron de Montesquieu,
et dela Breda ancien Président à Mortier
au Parlement de Bordeaux.

et leur gloire attireront chez eux les etrangers
et par consequance les arts leur situation
sur la mer leur attira le commerce

une personne de ma connoissance disoit
je vay faire une assez sotte chose cest mon
~~il faut que je rende graces a mon bon~~
portrait; ~~mais~~
~~genie de ce que je suis né tres heureux~~
je me connois assez bien
je nay presque jamais eu du chagrin
et encore moins d'ennuy

Portrait

t. 2d vol. p. 31. 39

ma machine est si heureusement construitte
que je suis frappé par touts les objets assez
vivement pour quils puissent me donner
du plaisir, pas assez pour quils me donner
de la peine

jay lambition quil faut pour me faire

Une personne de ma connaissance disait :

« Je vais faire une assez sotte chose : c'est mon portrait.

Je me connais assez bien.

Je n'ai presque jamais eu de chagrin, et encore moins d'ennui.

Ma machine est si heureusement construite que je suis frappé par tous les objets assez vivement pour qu'ils puissent me donner du plaisir, pas assez pour me donner de la peine.

J'ai l'ambition qu'il faut pour me faire prendre part aux choses de cette vie ; je n'ai point celle qui pourrait me faire trouver du dégoût dans le poste où la Nature m'a mis.

Lorsque je goûte un plaisir, j'en suis affecté, et je suis toujours étonné de l'avoir recherché avec tant d'indifférence.

Je m'éveille le matin avec une joie secrète ; je vois la lumière avec une espèce de ravissement. Tout le reste du jour je suis content.

Je passe la nuit sans m'éveiller ; et, le soir, quand je vais au lit, une espèce d'engourdissement m'empêche de faire des réflexions. »

*(Mes Pensées.)*

*... Quant à sa propre personne, voici ce qu'il en écrit à Maupertuis, le 25 novembre 1746 :*

Pour moi, je ne sais si c'est une chose que je dois à mon être physique ou à mon être moral, mais mon âme se prend à tout. Je me trouvais heureux dans mes terres, où je ne voyais que des arbres ; et je me trouve heureux à Paris, au milieu de ce nombre d'hommes qui égale les sables de la mer : je ne demande autre chose à la terre que de continuer à tourner sur son centre ; je ne voudrais pourtant pas faire avec elle d'aussi petits cercles que ceux que vous faisiez à Torneo. *(Correspondance.)*

*Le bonheur se révèle déjà dans les circonstances les plus simples de l'existence, — où il ne s'agit que de satisfaire les exigences élémentaires du corps.*

Il me semble que la Nature a travaillé pour des ingrats : nous sommes heureux, et nos discours sont tels qu'il semble que nous ne le soupçonnions pas. Cependant, nous trouvons partout des plaisirs : ils sont attachés à notre être, et les peines ne sont que des accidents. Les objets semblent partout préparés pour nos plaisirs : lorsque le sommeil nous appelle, les ténèbres nous plaisent ; et, lorsque nous nous éveillons, la lumière du jour nous ravit. La nature est parée de mille couleurs ; nos oreilles sont flattées par les sons ; les mets ont des goûts agréables ; et, comme si ce n'était pas assez du bonheur de l'existence, il faut encore que notre machine ait besoin d'être réparée sans cesse pour nos loisirs. *(Mes Pensées.)*

*Ce bonheur n'est point l'apanage d'un petit nombre d'élus. Mais il peut se faire qu'on soit heureux sans s'en apercevoir.*

Il faudrait convaincre les hommes du bonheur qu'ils ignorent, lors même qu'ils en jouissent. *(Mes Pensées.)*

*Les trois tomes du manuscrit de* Mes Pensées.

*En tout cas, si le bonheur n'est pas donné d'avance, il est inutile de le chercher.*

Ce qui me charmait dans le Génie que je servais, c'est qu'il n'était ni ambigu, ni obscur, et qu'il disait franchement tout ce qu'il savait. « Que faut-il que je fasse pour devenir heureux ? lui dit un suppliant. — Rien, mon ami, répondit-il. — Comment ? rien ? — Rien ! vous dis-je. — Vous croyez donc que je suis heureux ? — Non ! je crois, au contraire, que vous l'êtes très peu. — Pourquoi ne voulez-vous donc pas que je travaille à le devenir ? — C'est qu'on peut l'être, et qu'on ne peut pas le devenir.»

*(Histoire véritable.)*

*Mais suffit-il de se laisser vivre ? Les plaisirs sont toujours la récompense d'une activité de l'âme.*

On aurait dû mettre l'oisiveté continuelle parmi les peines de l'Enfer ; il me semble, au contraire, qu'on l'a mise parmi les joies du Paradis. *(Mes Pensées.)*

L'étude a été pour moi le souverain remède contre les dégoûts de la vie, n'ayant jamais eu de chagrin qu'une heure de lecture ne m'ait ôté. *(Ibid.)*

Les heures où notre âme emploie le plus de force sont celles qu'on destine à la lecture ; parce qu'au lieu de s'abandonner à ses idées, souvent même sans s'en apercevoir, elle est obligée de suivre celles des autres.

*(Dossier de l'*Esprit des Lois*).*

*C'est ainsi que la fiction vient à notre secours si le monde nous lasse :*

Il y a tel amour dont la peinture a fait plus de plaisirs à ceux qui l'ont lu qu'à ceux qui l'ont ressenti.

*(Mes Pensées.)*

*Et voici le programme de ses lectures :*

Livres originaux que j'ai à lire : *Scriptura sacra*, Stanley, Diogène-Laërce, Mariana (*De Rege et Regis Institutione*), Machiavel, Polyen, quelque chose de Calvin et Luther, *Hudibras*, Sénèque, Pline, Ptolomée, Pausanias, Photius, Bacon, Lucrèce, Clarke, *Histoire de la Médecine* du docteur Freind.

Achever : Athénée, l'Arioste. *(Mes Pensées.)*

*Un esprit si occupé ne connaîtra ni l'ennui ni le chagrin. Mais les peines elles-mêmes ne sont pas si redoutables :*

Comme les plaisirs sont souvent mêlés de peines, les peines sont mêlées de plaisirs. On ne saurait croire jusqu'où va le délice des afflictions fausses, lorsque l'âme sent qu'elle attire l'attention et la compassion ; c'est un sentiment agréable. On voit bien naïvement cette ressource de l'âme dans le jeu : pendant que l'un s'enorgueillit de gagner et se croit un personnage plus important parce qu'il gagne, vous voyez ceux qui perdent chercher une infinité de petites consolations par leurs petites plaintes, par leurs petites interpellations à tous ceux qui les entourent. On parle de soi ; cela suffit à l'âme.

Il y a plus. Les vraies afflictions ont leurs délices ; les vraies afflictions n'ennuient jamais, parce qu'elles occupent beaucoup l'âme. C'est un plaisir, lorsqu'elles aiment à parler ; c'en est un, lorsqu'elles aiment à se taire, et c'en est un si grand qu'on ne peut distraire personne de sa douleur sans lui causer une douleur plus vive. *(Mes Pensées.)*

L'âme est une ouvrière éternelle, qui travaille sans cesse pour elle. *(Ibid.)*

*Et l'on connaîtra l'ouvrière à son œuvre, c'est-à-dire à ses plaisirs :*

Examinons donc notre âme, étudions-la dans ses actions et dans ses passions, cherchons-la dans ses plaisirs ; c'est là où elle se manifeste davantage.

L'âme, outre les plaisirs qui lui viennent des sens, en a qu'elle aurait indépendamment d'eux, et qui lui sont propres : tels sont ceux que lui donnent la curiosité, les idées de sa grandeur, de ses perfections, l'idée de son existence, opposée au sentiment du néant, le plaisir d'embrasser tout d'une idée générale, celui de voir un grand nombre de choses, etc., celui de comparer, de joindre et de séparer les idées. *(Essai sur le Goût.)*

*Ces termes reviendront souvent sous la plume de Montesquieu :*

La faculté principale de l'âme est de comparer. *(Essai sur les causes qui peuvent affecter les esprits et les caractères.)*

Le bon sens est la juste comparaison des choses.
*(Mes Pensées.)*

La curiosité, principe du plaisir que l'on trouve dans les ouvrages de l'esprit. *(Ibid.)*

*Le plaisir de comparer, Montesquieu l'exercera partout, mais nulle part si souverainement que dans l'*Esprit des Lois. *Quant à la curiosité, c'est l'énergie motrice des* Lettres Persanes. *L'événement premier du livre est ce* départ *des deux Persans, qui veulent savoir et comparer.*

Rica et moi sommes peut-être les premiers parmi les Persans que l'envie de savoir ait fait sortir de leur pays, et qui aient renoncé aux douceurs d'une vie tranquille pour aller chercher laborieusement la sagesse.

Nous sommes nés dans un royaume florissant ; mais nous n'avons pas cru que ses bornes fussent celles de nos connaissances, et que la lumière orientale dût seule nous éclairer. *(Lettres Persanes,* I.*)*

*Cette curiosité n'a rien de frivole. Sa définition : regard infatigable, vue lointaine, armée par une volonté de conquête et de puissance.*

Notre âme est faite pour penser, c'est-à-dire pour apercevoir : or, un tel être doit avoir de la curiosité ; car, comme toutes les choses sont dans une chaîne où chaque idée en précède une et en suit une autre, on ne peut aimer à voir une chose sans désirer d'en voir une autre ; et, si nous n'avions pas ce désir pour celle-ci, nous n'aurions eu aucun plaisir à celle-là. Ainsi, quand on nous montre une partie d'un tableau, nous souhaitons de voir la partie que l'on nous cache, à proportion du plaisir que nous a fait celle que nous avons vue.

C'est donc le plaisir que nous donne un objet qui nous porte vers un autre ; c'est pour cela que l'âme cherche toujours les choses nouvelles, et ne se repose jamais.

Ainsi on sera toujours sûr de plaire à l'âme lorsqu'on lui fera voir beaucoup de choses, ou plus qu'elle n'avait espéré d'en voir.

... Ce qui fait ordinairement une grande pensée, c'est lorsqu'on dit une chose qui en fait voir un grand nombre d'autres, et qu'on nous fait découvrir tout d'un coup ce que nous ne pouvions espérer qu'après une grande lecture. *(Essai sur le Goût.)*

*C'est ainsi que l'âme se donne le spectacle d'un monde peuplé d'idées. Le temps n'est jamais vide :*

L'attente est une chaîne qui lie tous nos plaisirs.

*(Mes Pensées.)*

*... Plaisirs qui ont leur source en nous-mêmes. Les autres ne sont pas indispensables. L'amour n'enchaînera pas Montesquieu.*

J'ai assez aimé de dire aux femmes des fadeurs et de leur rendre des services qui coûtent si peu.

*(Mes Pensées.)*

A l'âge de trente-cinq ans, j'aimais encore. *(Ibid.)*

*Les billets doux de Montesquieu donnent le ton de ces fadeurs :*

Je ne sais si je vous aurai assez dit hier combien je vous aime, combien je me donne, et combien je me sens à vous. Toutes les fois que je vous vois, toutes les fois que vous m'écrivez, il me semble que je vous aime davantage.

Je vous remercie de ce que vous voulez bien travailler à me procurer les moyens de vous voir plus aisément, comme je vous remercie de mon bonheur.

J'ai mille choses à vous dire. Je ne vous ai rien dit ; vous ne me connaissez pas ; d'où vient que je vous aime ?

*(Correspondance.)*

... Encore, si j'avais pu, en te quittant, te bien peindre mon désespoir, j'aurais trouvé de la consolation à te faire voir que je ne suis pas indigne de tout ton amour. Je crains toujours de ne t'avoir pas fait connaître tout le mien. Je t'ai dit un million de fois que je t'aime avec fureur. Je crois toujours ne te l'avoir pas assez dit, et je voudrais mourir en te le disant. *(Ibid.)*

*Il n'est pas incapable d'exprimer poétiquement la mélancolie due à l'excès de bonheur :*

Quelquefois elle me dit en m'embrassant : Tu es triste. Il est vrai, lui dis-je : mais la tristesse des amants est délicieuse ; je sens couler mes larmes, et je ne sais pourquoi, car tu m'aimes ; je n'ai point de sujet de me plaindre, et je me plains. Ne me retire point de la langueur où je suis ; laisse-moi soupirer en même temps mes peines et mes plaisirs.

Dans les transports de l'amour, mon âme est trop agitée ; elle est entraînée vers son bonheur sans en jouir : au lieu qu'à présent je goûte ma tristesse même. N'essuie point mes larmes : qu'importe que je pleure, puisque je suis heureux? *(Le Temple de Gnide,* V.*)*

*Mais il lui arrive de parler des femmes avec brutalité, — témoin ce billet, vraisemblablement destiné à Berwick :*

Madame de M. ira à la dernière messe. Je ne me mêle pas des intérêts des princes, mais je ne puis deviner vos vues. Je crois que vous ne réussirez pas dans votre entreprise. La dame a appris que vous la destiniez depuis plus d'un mois à un de vos milords, et, quoiqu'elle soit bien aise d'être f... sur le champ, elle n'aime pourtant pas à être retenue d'avance, et ne veut pas qu'un autre dispose d'un cœur dont elle est si libérale.

*Et il connaît la raison qui rend l'entreprise facile...*

Tous les maris sont laids. *(Mes Pensées.)*

*Lorsqu'il plaide la cause des femmes, c'est sans grande conviction.*

Les femmes ont de la fausseté. Cela vient de leur dépendance : plus la dépendance augmente, plus la fausseté augmente. Il en est comme des droits du Roi : plus vous les haussez, plus vous augmentez la contrebande. *(Mes Pensées.)*

Une femme est obligée de plaire comme si elle s'était faite elle-même. *(Ibid.)*

*La cause du désordre des femmes ? C'est l'histoire qui répondra :*

*Du Changement de Mœurs arrivé dans la Nation française.* — A mesure que la puissance royale se fortifia, la Noblesse quitta ses terres. Ce fut la principale cause du changement de mœurs qui arriva dans la Nation. On laissa les mœurs simples du premier temps, pour les vanités des villes ; les femmes quittèrent la laine et méprisèrent tous les amusements qui n'étaient pas des plaisirs.

Le désordre ne vint qu'insensiblement. Il commença sous François I^er ; il continua sous Henri II. Le luxe et la mollesse des Italiens l'augmenta sous les régences de la reine Catherine. Sous Henri III, un vice qui n'est malheureusement inconnu qu'aux nations barbares se montra à la Cour. Mais la corruption et l'indépendance continuèrent dans un sexe qui, quelquefois, tire avantage des mépris mêmes. Jamais le mariage ne fut plus insulté que sous Henri IV. La dévotion de Louis XIII fixa le mal où il était ; la galanterie grave d'Anne d'Autriche l'y laissa encore ; la jeunesse de Louis XIV l'accrut ; la sévérité de sa vieillesse le suspendit ; les digues furent rompues à sa mort.

Les filles n'écoutèrent plus les traditions de leurs mères. Les femmes, qui ne venaient auparavant que par degrés à une certaine liberté, l'obtinrent tout entière dès les premiers jours du mariage. Les femmes et la jeunesse oisive veillèrent toutes les nuits, et souvent le mari commençait le jour où sa femme le finissait. On ne connut plus les vices ; on ne sentit que les ridicules, et on mit au nombre de ces ridicules une modestie gênante ou une vertu timide.

Chaque partie de souper cacha quelque convention nouvelle ; mais le secret ne durait que le temps qu'il fallait pour la conclure. Avec les femmes de condition, on n'évitait plus les dangers. Dans ce changement continuel, le goût fut lassé, et on le perdit, enfin, à force de chercher les plaisirs.

L'éducation des enfants ne fut plus mise au rang des soucis des mères. La femme vécut dans une indifférence entière pour les affaires du mari. Toutes les liaisons de parenté furent négligées ; tous les égards furent ôtés ; plus de visites de bienséance ; toutes les conversations devinrent hardies ; tout ce qu'on osa faire fut avoué, et l'unique impolitesse fut de n'oser, de ne vouloir ou de ne pouvoir pas.

La vertu d'une femme fut en pure perte pour elle ; elle fut même quelquefois comme une espèce de religion persécutée.

Tout ceci n'était pas le dernier degré de dérèglement. Elles furent infidèles dans le jeu, comme dans leurs amours, et joignirent à ce qui déshonore leur sexe, tout ce qui peut avilir le nôtre.

*(Mes Pensées.)*

*Aussi vaut-il mieux ne jamais être leur esclave :*

J'ai été, dans ma jeunesse, assez heureux pour m'attacher à des femmes que j'ai cru qui m'aimaient. Dès que j'ai cessé de le croire, je m'en suis détaché soudain.
*(Mes Pensées.)*

*Et Montesquieu conclut en faveur de la vertu, qui est gage de variété et de réciprocité. La débauche est monotone.*

L'avantage de l'amour sur la débauche, c'est la multiplication des plaisirs. Tous les plaisirs, tous les goûts, tous les sentiments deviennent réciproques. Dans l'amour, vous avez deux corps et deux âmes ; dans la débauche, vous avez une âme qui se dégoûte même de son propre corps. *(Mes Pensées.)*

*Ce qui frappera Montesquieu, c'est la variété de nos états d'âme, et la diversité des types humains. La passion n'a pas de valeur privilégiée ; elle n'est qu'une attitude parmi d'autres.*

Notre âme est très bornée, et elle ne peut pas répondre à plusieurs émotions à la fois. Il faut que, quand elle en a plusieurs, les moindres suivent la plus grande et soient déterminées vers elle, comme par un mouvement commun. Ainsi, dans la fureur de l'amour, toutes les autres idées prennent la teinture de cet amour, auquel seule l'âme est attentive. La haine, la jalousie, la crainte, l'espérance sont comme des verres de différentes couleurs au travers desquels nous voyons un objet qui nous paraît toujours également rouge ou vert et ne diffère que par les nuances.

... L'un sera convaincu par la rhétorique ; l'autre ne le sera que par la simple logique. L'un sera frappé par les mots, et l'autre, seulement par l'évidence. L'un ne verra jamais la chose qu'avec la difficulté et sera incertain ; l'autre verra mieux la chose que la difficulté et croira tout ; l'autre, enfin, verra mieux la difficulté que la chose et ne croira rien. L'un sentira les choses, et non pas les liaisons, et n'aura aucun ordre ; ou bien il croira trouver des liaisons à tout, et il sera confus. Ici, on voudra toujours créer ; là, toujours détruire. L'un aura de l'action dans l'esprit ; l'autre ne fera que recevoir, comme une bourse qui ne rend que l'argent qu'on y met. Les idées qui ne feront qu'effleurer le cerveau d'un homme en perceront un autre, pour ainsi dire, de part en part, et jusqu'à la folie.
*(Sur les causes qui peuvent affecter les esprits.)*

*Montesquieu a toujours su s'accommoder de la diversité des caractères. Les sots et les fâcheux lui inspirent une bienveillance amusée.*

Je suis presque aussi content avec des sots qu'avec des gens d'esprit... *(Mes Pensées.)*

Je ne hais pas de me divertir en moi-même des hommes que je vois ; sauf à eux de me prendre à leur tour pour ce qu'ils veulent. *(Ibid.)*

*Il y aura pourtant une exception à cette bienveillance si générale :*

Il n'y a point de gens que j'aie plus méprisés que les petits beaux-esprits et les grands qui sont sans probité. *(Mes Pensées.)*

J'ai eu d'abord, en voyant la plupart des grands, une crainte puérile. Dès que j'ai eu fait connaissance, j'ai passé, presque sans milieu, jusqu'au mépris. *(Ibid.)*

*Et sa façon de se divertir en lui-même des travers des autres ne sera pas toujours indulgente.*

L'ABBÉ DU VAUBRUN. — Avec un caractère grave et un air sérieux, il fut l'homme de son siècle le plus frivole. Il n'eut aucune des singularités qui font plaisir, mais tous les ridicules qui font pitié. Avec le corps d'un homme difforme, il eut toutes les flatteries d'une femme. Idiot dans la louange et dans le blâme ; impertinent dans l'admiration. Sa vanité lui donna des prétentions à la fortune, et cette même vanité les manqua toutes.

Il partit, et, quoiqu'il eût pris le chemin le plus facile, il n'arriva jamais.

On pourrait avilir l'esprit au point de dire qu'il en avait ; mais il est impossible de dégrader le bon sens jusqu'au point de lui en croire. Avec tout cela, admirable dans la société, parce qu'il avait peu de vices, et qu'il n'avait point de vertus. Il eut la faveur d'une petite cour, et il fut le seul qui ne fut pas soupçonné d'en avoir la confidence. *(Mes Pensées.)*

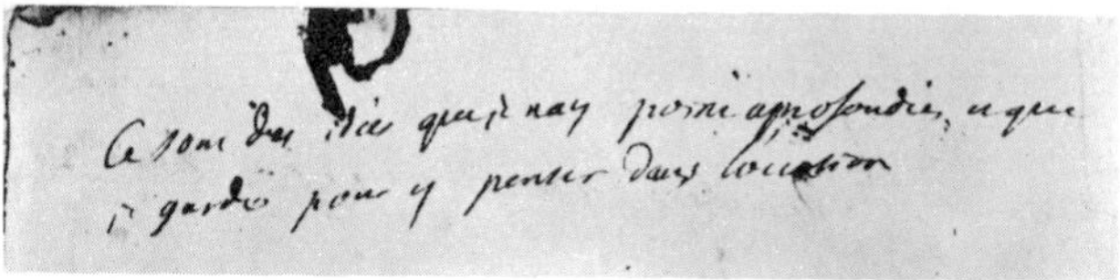

*Mais il demeure exceptionnel que le regard de Montesquieu atteigne à cette cruauté.*

Mon ami et mon protecteur en Angleterre, feu M. le duc de Montaigu : il était comme ces pierres dont on tire du feu, et qui restent froides. *(Mes Pensées.)*

Je disais de [Voltaire] : « C'est un problème : savoir qui lui a rendu plus de justice : ceux qui lui ont donné cent mille louanges, ou ceux qui lui ont donné cent coups de bâton. » *(Ibid.)*

*Est-ce là de la méchanceté ? C'est surtout le fait d'un regard qui se plaît à démasquer :*

Je disais à un homme caché : « Montrez-moi votre vrai visage. » *(Ibid.)*

*Quant à lui, il assure avoir vécu à visage découvert...*

J'avais le bonheur que presque tout le monde me plaisait, et ce caractère a été la chose du Monde la plus heureuse pour moi : car, comme mon visage était tout ouvert, qu'il m'était impossible de cacher mon amour, mon mépris, mon amitié, mon ennui, ma haine, comme la plupart des gens me plaisaient, ils trouvaient sur mon visage un bon témoignage d'eux-mêmes. *(Mes Pensées.)*

*... mais le regard des autres l'a souvent déconcerté.*

J'ai toujours eu une timidité qui a souvent fait paraître de l'embarras dans mes réponses. J'ai pourtant senti que je n'étais jamais si embarrassé avec les gens d'esprit qu'avec les sots. Je m'embarrassais parce que je me croyais embarrassé, et que je me sentais honteux qu'ils pussent prendre sur moi de l'avantage. *(Mes Pensées.)*

La timidité a été le fléau de toute ma vie ; elle semblait obscurcir jusqu'à mes organes, lier ma langue, mettre un nuage sur mes pensées, déranger mes expressions. J'étais moins sujet à ces abattements devant des gens d'esprit que devant des sots. C'est que j'espérais qu'il m'entendraient ; cela me donnait de la confiance. *(Ibid.)*

Ma machine est tellement composée que j'ai besoin de me recueillir dans toutes les matières un peu composées. Sans cela, mes idées se confondent ; et, si je sens que je suis écouté, il me semble pour lors que toute la question s'évanouit devant moi... *(Ibid.)*

*Car il faut savoir compter avec la vanité des autres :*

*Des conversations.* — Les inconvénients dans lesquels on a coutume de tomber dans les conversations sont sentis de presque tout le monde. Je dirai seulement que nous devons nous mettre dans l'esprit trois choses :

La première, que nous parlons devant des gens qui ont de la vanité, tout comme nous, et que la leur souffre à mesure que la nôtre se satisfait ;

La seconde, qu'il y a peu de vérités assez importantes pour qu'il vaille la peine de mortifier quelqu'un et le reprendre pour ne les avoir pas connues ;

Et enfin, que tout homme qui s'empare de toutes les conversations est un sot ou un homme qui serait heureux de l'être. *(Mes Pensées.)*

*Il reste en lui de l'ancienne « honnêteté » : il a horreur de passer pour bel esprit et homme de lettres.*

Je suis (je crois) presque le seul homme qui ait fait des livres, ayant sans cesse peur de la réputation de bel-esprit. Ceux qui m'ont connu savent que, dans mes conversations, je ne cherchais pas trop à le paraître, et que j'avais assez le talent de prendre la langue de ceux avec qui je vivais. *(Mes Pensées.)*

Je disais : « Quand on court après l'esprit, on attrape la sottise. » *(Ibid.)*

J'ai la maladie de faire des livres et d'en être honteux quand je les ai faits. *(Ibid.)*

*C'est qu'il connaît bien les travers habituels des écrivains :*

Quand on lit les livres, on trouve les hommes meilleurs qu'ils ne sont, parce que chaque auteur, ne manquant point de vanité, cherche à faire croire qu'il est plus honnête homme qu'il n'est, en jugeant toujours en faveur de la vertu. Enfin, les auteurs sont des personnages de théâtre. *(Mes Pensées.)*

*Cette ostentation déplaît à Montesquieu. L'auteur, en lui, s'avance masqué. Voyez la Préface des* Lettres Persanes *:*

J'ai détaché ces premières lettres pour essayer le goût du public ; j'en ai un grand nombre d'autres dans mon portefeuille, que je pourrai lui donner dans la suite.

Mais c'est à condition que je ne serai pas connu :

LETTRES PERSANES.

TOME I.

A AMSTERDAM,

Chez PIERRE BRUNEL, sur le Dam.

M. DCC XXI.

car, si l'on vient à savoir mon nom, dès ce moment je me tais. Je connais une femme qui marche assez bien, mais qui boite dès qu'on la regarde. C'est assez des défauts de l'ouvrage, sans que je présente encore à la critique ceux de ma personne. Si l'on savait qui je suis, on dirait : « Son livre jure avec son caractère ; il devrait employer son temps à quelque chose de mieux : cela n'est pas digne d'un homme grave. »

*Et à une amie qui lui a parlé du* Temple de Gnide, *il répond :*

Je ne suis point l'auteur du *Temple de Gnide ;* ce n'est pas que je n'eusse de la tendresse de reste pour cela, mais je n'en suis point l'auteur ; je suis fâché de ne le point être, car, puisqu'un homme comme Aristée vous plairait, peut-être que celui qui aurait imaginé Aristée vous plairait aussi. *(A Mme Berthelot de Jouy, avril* 1725 *)*

*La souveraine élégance est de passer inaperçu :*

Le bon ton (disais-je) c'est ce qui se rapporte dans le discours et dans les manières à ce qu'on appelle *n'avoir pas d'accent* dans le langage. *(Mes Pensées.)*

Je mettrai toujours au nombre de mes commandements, de ne parler jamais de soi en vain. *(Ibid.)*

Hommes modestes, venez, que je vous embrasse : vous faites la douceur et le charme de la vie. Vous croyez que vous n'avez rien, et moi, je vous dis que vous avez tout. Vous pensez que vous n'humiliez personne, et vous humiliez tout le monde. Et, quand je vous compare dans mon idée avec ces hommes absolus que je vois partout, je les précipite de leur tribunal, et je les mets à vos pieds. *(Lettres Persanes,*144.*)*

*Mais la modestie et la modération n'assurent pas que nous serons mieux compris par les autres.*

Je disais : « Il faut avoir des opinions, des passions : on est pour lors à l'unisson de tout le monde. Tout homme qui a des sentiments modérés n'est ordinairement à l'unisson de personne. » *(Mes Pensées.)*

Des gens peuvent croire qu'on ne met pas de feu dans ses pensées parce qu'on n'en met point dans la manière de les défendre. *(Ibid.)*

*Les vraies qualités, cependant, ne manqueront pas de se manifester.*

Une grande âme ne saurait s'empêcher de se montrer tout entière : elle sent la dignité de son être. Et comment pourrait-elle ignorer sa supériorité sur tant d'autres qui sont dégradées dans la nature ? *(Mes Pensées.)*

Je disais : « On peut cacher son orgueil, mais on ne peut cacher sa modestie. » *(Ibid.)*

*...et l'on ne sera point sans en tirer quelque avantage :*

Un fonds de modestie rapporte un très gros intérêt. *(Ibid.)*

*Au reste, la vanité est d'utilité sociale, et il faut prendre les hommes comme ils sont.*

C'est l'envie de plaire qui donne de la liaison à la Société, et tel a été le bonheur du genre humain que cet amour-propre, qui devrait dissoudre la Société, la fortifie, au contraire, et la rend inébranlable. *(Mes Pensées.)*

... Il faut vivre avec les hommes tels qu'ils sont ; les gens qu'on dit être de si bonne compagnie ne sont souvent que ceux dont les vices sont plus raffinés, et peut-être en est-il comme des poisons, dont les plus subtils sont aussi les plus dangereux. *(Lettres Persanes, 48.)*

Pour faire de grandes choses, il ne faut pas être un si grand génie : il ne faut pas être au-dessus des hommes ; il faut être avec eux. *(Mes Pensées.)*

*Vouloir s'élever au-dessus des hommes, cela n'a précisément plus de sens dans le monde moderne, — qui est le monde de l'intérêt et du commerce.*

Cet esprit de gloire et de valeur se perd peu à peu parmi nous. La philosophie a gagné du terrain. Les idées anciennes d'héroïsme et les nouvelles de chevalerie se sont perdues. Les places civiles sont remplies par des gens qui ont de la fortune, et les militaires, décréditées, par des gens qui n'ont rien. Enfin, il est presque partout indifférent pour le bonheur d'être à un maître ou à un autre ; au lieu qu'autrefois une défaite ou la prise de sa ville était jointe à la destruction : il était question d'être vendu comme esclave, de perdre sa ville, ses Dieux, sa femme et ses enfants. *(Mes Pensées.)*

Chaque siècle a son génie particulier : un esprit de désordre et d'indépendance se forma en Europe avec le gouvernement gothique ; l'esprit monacal infecta les temps des successeurs de Charlemagne ; ensuite régna celui de la chevalerie ; celui de conquête parut avec les troupes réglées ; et c'est l'esprit de commerce qui domine aujourd'hui.

Cet esprit de commerce fait qu'on calcule tout. Mais la gloire, quand elle est toute seule, n'entre que dans les calculs des sots. *(Ibid.)*

*Faut-il rechercher la grandeur humaine ? Et quelle grandeur ? Une grande action fait éclater de la force. Mais la force est équivoque. Elle est à la fois admirable et redoutable.*

Une belle action est une action qui a de la bonté, et qui demande de la force pour la faire. *(Mes Pensées.)*

Par un malheur attaché à la condition humaine, les grands hommes modérés sont rares ; et, comme il est toujours plus aisé de suivre sa force que de l'arrêter, peut-être, dans la classe des gens supérieurs, est-il plus facile de trouver des gens extrêmement vertueux, que des hommes extrêmement sages.

L'âme goûte tant de délices à dominer les autres âmes ; ceux mêmes qui aiment le bien s'aiment si fort eux-mêmes, qu'il n'y a personne qui ne soit assez malheureux pour avoir encore à se défier de ses bonnes intentions : et, en vérité, nos actions tiennent à tant de choses, qu'il est mille fois plus aisé de faire le bien, que de le bien faire.

*(Esprit des Lois,* XXVIII, 41.*)*

*Quant à lui, sans prétendre à s'élever au-dessus des hommes, il s'est rendu pareillement agréables — et fructueuses — la solitude et la mondanité :*

Quand j'ai été dans le monde, je l'ai aimé comme si je ne pouvais souffrir la retraite. Quand j'ai été dans mes terres, je n'ai plus songé au monde. *(Mes Pensées.)*

On gagne beaucoup dans le monde ; on gagne beaucoup dans son cabinet. Dans son cabinet, on apprend à écrire avec ordre, à raisonner juste, et à bien former ses raisonnements : le silence où l'on est, fait qu'on peut donner de la suite à ce qu'on pense. Dans le monde, au contraire, on apprend à imaginer ; on heurte tant de sujets dans les conversations que l'on imagine des choses ; on y voit les hommes comme agréables et comme gais ; on y est pensant par la raison qu'on ne pense pas, c'est-à-dire que l'on a les idées du hasard, qui sont souvent les bonnes.

L'esprit de conversation est un esprit particulier qui consiste dans des raisonnements et des déraisonnements courts. *(Ibid.)*

*Mais il a jugé le « monde parisien » avec sévérité. On sait ce qu'en disent les* Lettres Persanes. *Bornons-nous aux notes personnelles de Montesquieu :*

Le ton du monde consiste beaucoup à parler des bagatelles comme des choses sérieuses, et des choses sérieuses comme des bagatelles. *(Mes Pensées.)*

Deux sortes d'hommes : ceux qui pensent, et ceux qui s'amusent. *(Ibid.)*

Je disais : « J'aime Paris : on n'y fait point de réflexions ; on se défait de son âme. » *(Ibid.)*

*Montesquieu ne cache pas ses craintes, quant aux conséquences du raffinement et de la frivolité que l'esprit mondain impose aux Lettres.*

On ne peut pas dire que les lettres ne soient qu'un amusement d'une certaine partie des citoyens ; il faut les regarder sous une autre face. On a remarqué que leur prospérité est si intimement attachée à celle des empires qu'elle en est infailliblement le signe ou la cause. Et, si l'on veut jeter un coup d'œil sur ce qui se passe actuellement dans le Monde, nous verrons que, dans la même raison que l'Europe domine sur les autres trois parties du Monde et est dans la prospérité, tandis que tout le reste gémit dans l'esclavage et la misère : de même l'Europe est plus éclairée, à proportion, que dans les autres parties, où elles sont ensevelies dans une épaisse nuit. Que si nous voulons jeter les yeux sur l'Europe, nous verrons que les États où les lettres sont les plus cultivées ont aussi, à proportion, plus de puissance.

...Il ne faut donc pas regarder, dans une grande nation, les sciences comme une occupation vaine, c'est un objet sérieux.

Et nous n'avons pas à nous reprocher que notre nation n'y ait travaillé avec soin. Mais, comme, dans les empires,

« Je bâtis à La Brède : mon bâtiment avance, et moi je recule ». *(Mes Pensées)*.

« Je puis dire que c'est à présent un des endroits aussi agréables qu'il y ait en France, au château près, tant la nature s'y trouve dans sa robe de chambre et au lever de son lit ». (*A. Guasco*, 4 *octobre* 1752).

rien n'approche plus de la décadence qu'une grande prospérité, aussi, dans notre république littéraire, il est à craindre que la prospérité ne mène à la décadence...

Le savoir, par les secours de toutes les espèces que nous avons eus, a pris parmi nous un air aisé, une apparence de facilité qui fait que tout le monde se juge savant ou bel-esprit et avoir acquis le droit de mépriser les autres. De là, cette négligence d'apprendre ce qu'on croit savoir. De là, cette sotte confiance dans ses propres forces, qui fait entreprendre ce qu'on n'est pas capable d'exécuter. De là, cette fureur de juger, cette honte de ne pas décider, cet air de mépris sur tout ce qu'on ne connaît pas, cette envie de ravaler tout ce qui se trouve trop haut, dans un siècle où chacun se croit ou se voit un personnage. De là, dans ceux qui se croient être obligés d'être de beaux-esprits, et qui ne peuvent s'empêcher de sentir leur mérite inférieur, cette fureur pour la satire qui a fait multiplier parmi nous les écrits de cette espèce, qui produisent deux sortes de mauvais effets, en décourageant les talents de ceux qui en ont, et en produisant la malice stupide de ceux qui n'en ont pas. De là, ce ton continuel qui consiste à tourner en ridicule les choses bonnes et même les vertueuses.

... Une certaine délicatesse a fait que l'on s'est rendu extrêmement difficile sur tout ce qui n'a pas cette perfection dont la Nature humaine n'est pas capable, et, à force de trop demander, on décourage les talents.

Enfin, de grandes découvertes qu'on a faites dans ces derniers temps, font qu'on regarde comme frivole tout ce qui ne porte pas avec soi un air d'utilité présente, sans songer que tout est lié, et que tout se tient. *(Mes Pensées.)*

*Si le monde est frivole, c'est parce que les femmes y règnent. La réaction de Montesquieu est celle d'un homme attaché aux valeurs du patriarcat :*

On me demandait pourquoi on n'avait plus de goût pour les ouvrages de Corneille, Racine, etc. Je répondis : « C'est que toutes les choses pour lesquelles il faut de l'esprit sont devenues ridicules. Le mal est plus général. On ne peut plus souffrir aucune des choses qui ont un objet déterminé : les gens de guerre ne peuvent souffrir la guerre ; les gens de cabinet, le cabinet ; ainsi des autres choses. On ne connaît que les objets généraux, et, dans la pratique, cela se réduit à rien. C'est le commerce des femmes qui nous a menés là : car c'est leur caractère de n'être attachées à rien de fixe. Il n'y a plus qu'un sexe, et nous sommes tous femmes par l'esprit, et, si, une nuit, nous changions de visage, on ne s'apercevrait pas que, du reste, il y eût de changement. Quoique les femmes eussent à passer dans tous les emplois que la Société donne, et que les hommes fussent privés de tous ceux que la Société peut ôter, aucun sexe ne serait embarrassé. » *(Mes Pensées.)*

*S'il ne partage pas l'engouement du monde pour les livres nouveaux...*

Je dis : « Les livres anciens sont pour les auteurs ; les nouveaux, pour les lecteurs. » *(Mes Pensées.)*

*... il lira tout de même, à l'occasion, les romans qui viennent de paraître :*

J'ai lu, ce 6 avril 1734, *Manon Lescaut*, roman composé par le Père Prévost. Je ne suis pas étonné que ce roman, dont le héros est un fripon, et l'héroïne, une catin qui est menée à la Salpétrière, plaise ; parce que toutes les mauvaises actions du héros, le chevalier des Grieux, ont pour motif l'amour, qui est toujours un motif noble, quoique la conduite soit basse. Manon aime aussi ; ce qui lui fait pardonner le reste de son caractère. *(Mes Pensées.)*

*Dans son art d'écrire et dans ses goûts littéraires, il sera lui-même un homme de bonne compagnie.*

Quelques gens ont regardé la lecture du *Temple de Gnide* comme dangereuse. Mais ils ne prennent pas garde qu'ils imputent à un seul roman le défaut de tous. Qu'il y ait, dans une pièce de vers, des choses licencieuses, c'est le vice du poète. Mais que les passions y soient émues, c'est le fait de la poésie.

La lecture des romans est dangereuse sans doute. Qu'est-ce qui ne l'est pas ? Plût à Dieu que l'on n'eût à réformer que les mauvais effets de la lecture des romans ! Mais ordonner de n'avoir pas de sentiments à un être toujours sensible ; vouloir bannir les passions, sans souffrir même qu'on les rectifie ; proposer la perfection à un siècle qui est tous les jours pire ; parmi tant de méchancetés, se révolter contre les faiblesses : j'ai bien peur qu'une morale si haute ne devienne spéculative, et qu'en nous montrant de si loin ce que nous devrions être, on ne nous laisse ce que nous sommes. *(Mes Pensées.)*

Que si les gens graves désiraient de moi quelque ouvrage moins frivole, je suis en état de les satisfaire. Il y a trente ans que je travaille à un livre de douze pages, qui doit contenir tout ce que nous savons sur la métaphysique, la politique et la morale, et tout ce que de grands auteurs ont oublié dans les volumes qu'ils ont donnés sur ces sciences-là. *(Temple de Gnide,* Préface.*)*

*Et il n'est pas mécontent d'avoir lancé une mode :*

Autrefois le style épistolaire était entre les mains des pédants, qui écrivaient en latin. Balzac prit le style épistolaire et la manière d'écrire des lettres de ces gens-là. Voiture en dégoûta, et, comme il avait l'esprit fin, il y mit de la finesse et une certaine affectation, qui se trouve toujours dans le passage de la pédanterie à l'air et au ton du monde. M. de Fontenelle, presque contemporain de ces gens-là, mêla la finesse de Voiture, un peu de son affectation, avec plus de connaissances et de lumières, et plus de philosophie. On ne connaissait point encore Mme de Sévigné. Mes *Lettres Persanes* apprirent à faire des romans en lettres. *(Mes Pensées.)*

*Ses principes personnels, en matière de littérature, sont d'un homme indépendant, qui veut plaire sans céder à la tentation du badinage, et qui s'exprimera sur les sujets sérieux sans devenir pédant.*

Il ne faut pas que, dans un ouvrage, l'ironie soit continuée : elle ne surprend plus. *(Mes Pensées.)*

Pour bien écrire, il faut sauter les idées intermédiaires, assez pour n'être pas ennuyeux ; pas trop, de peur de n'être pas entendu. Ce sont ces suppressions heureuses qui ont fait dire à M. Nicole que tous les bons livres étaient doubles. *(Ibid.)*

Un homme qui écrit bien n'écrit pas comme on a écrit, mais comme il écrit, et c'est souvent en arlant mal qu'il parle bien. *(Ibid.)*

*Il sait comment on s'y prend pour réussir dans le monde :*

Les sots qui marchent dans le chemin de la fortune prennent toujours les routes battues. Un précepteur du

CAR. DE SECONDAT DE MONTESQUIEU.
EMPLE DE GNIDE
LETTRES PERS
ESPRIT DES

Roi est-il devenu premier ministre ? Tous les petits ecclésiastiques veulent être précepteurs du Roi, pour être premiers ministres. Les gens d'esprit se font des routes particulières : ils ont des chemins cachés, nouveaux ; ils marchent là où personne n'a encore été. Le monde est nouveau.
*(Ibid.)*

*Les sots, pourtant, conservent leurs chances :*

La raison pourquoi les sots réussissent ordinairement dans leurs entreprises, c'est que, ne sachant et ne voyant jamais quand ils sont importuns, ils ne s'arrêtent jamais. Or, il n'y a pas d'homme assez sot pour ne savoir pas dire : « Donnez-moi cela. » *(Mes Pensées.)*

*Sensible au malheur des autres, Montesquieu est sans illusion sur leurs mérites :*

Je n'ai jamais vu couler de larmes sans en être attendri.

Je pardonne aisément par la raison que je ne sais pas haïr. Il me semble que la haine est douloureuse. Lorsque quelqu'un a voulu se réconcilier avec moi, j'ai senti ma vanité flattée, et j'ai cessé de regarder comme ennemi un homme qui me rendait le service de me donner bonne opinion de moi.

Dans mes terres, avec mes vassaux, je n'ai jamais voulu souffrir que l'on m'aigrît sur le compte de quelqu'un. Quand on m'a dit : « Si vous saviez les discours qui ont été tenus ! — Je ne veux pas les savoir », ai-je répondu. Si ce qu'on me voulait rapporter était faux, je ne voulais pas courir le risque de le croire. S'il était vrai, je ne voulais pas prendre la peine de haïr un faquin. *(Mes Pensées.)*

*Sa générosité discrète était devenue légendaire au dix-huitième siècle, sur la foi de quelques anecdotes touchantes. En voici un exemple plus précis ; c'est une requête qu'il adresse, en faveur de Piron, à Madame de Pompadour :*

Madame, Piron est assez puni pour les mauvais vers qu'on dit qu'il a faits ; d'un autre côté, il en a fait de très bons. Il est aveugle, infirme, pauvre, marié, vieux. Le Roi ne lui accorderait-il pas quelque petite pension ? C'est ainsi que vous employez le crédit que vos belles qualités vous donnent et, parce que vous êtes heureuse, vous voudriez qu'il n'y eût point de malheureux. Le feu Roi exclut La Fontaine d'une place à l'Académie à cause de ses

*Contes* et il la lui rendit six mois après à cause de ses *Fables*. Il voulut même qu'il fût reçu avant Despréaux qui s'était présenté depuis lui.

Agréez, je vous supplie, le profond respect, etc.

*(A Madame de Pompadour, juin* 1753.*)*

*Sur l'amitié, il fera des remarques désabusées, où l'on décèle le souvenir de La Rochefoucauld :*

L'amitié est un contrat par lequel nous nous engageons à rendre de petits services à quelqu'un, afin qu'il nous en rende de grands. *(Mes Pensées.)*

*Et il biffera cette phrase, dans son manuscrit :*

Je disais : « Je suis amoureux de l'amitié. » *(Ibid.)*

*Le sentiment familial, chez lui, ne tourne pas à l'obsession.*

J'ai aimé assez ma famille pour faire ce qui allait au bien dans les choses essentielles ; mais je me suis affranchi des menus détails. *(Mes Pensées.)*

Avec mes enfants, j'ai vécu comme avec mes amis. *(Ibid.)*

*DENISE DE MONTESQUIEU*

*Ses idées sur l'éducation sont assez novatrices.*

Je disais que, jusques à sept ou six ans, il ne fallait rien apprendre aux enfants, et que même cela pouvait être dangereux ; qu'il ne faut songer qu'à les divertir, ce qui est la seule félicité de cet âge. Les enfants reçoivent par tout les idées que donnent les sens. Ils sont très attentifs, parce que beaucoup de choses les étonnent, et, par cette raison, ils sont extrêmement curieux. Il ne faut donc songer qu'à les dissiper et les soulager de leur attention par le plaisir. Ils font toutes les réflexions qui sont à leur portée ; leurs progrès extraordinaires sur la langue en sont une preuve. Quand donc vous voulez leur faire faire vos propres réflexions, vous empêchez les leurs, que la Nature leur fait faire. Votre art trouble le procédé de la Nature. Vous les retirez de l'attention qu'ils se donnent, pour qu'ils prennent celle que vous leur donnez. Celle-là leur plaît ; celle-ci leur déplaît. Vous les jetez dans les idées abstraites, pour lesquelles ils n'ont point de sens. Ils ont des idées particulières, et vous les généralisez avant le temps ; par exemple, l'idée de bonheur, de justice, de probité : tout cela n'est point de leur ressort. Ne leur faites rien voir de mauvais ! Vous n'avez rien autre chose à faire. A un certain âge, le cerveau ou l'esprit se développe tout à coup. Pour lors, travaillez ! Et vous ferez plus dans un quart d'heure que vous n'auriez fait dans six mois jusques à ce temps-là. Laissez former le corps et l'esprit par la Nature !

(*Mes Pensées.*)

*Mais — ce qui complique singulièrement les choses — une éducation cohérente est impossible dans le monde moderne :*

Épaminondas, la dernière année de sa vie, disait, écoutait, voyait, faisait les mêmes choses que dans l'âge où il avait commencé d'être instruit.

Aujourd'hui, nous recevons trois éducations différentes ou contraires : celle de nos pères, celle de nos maîtres, celle du monde. Ce qu'on nous dit dans la dernière renverse toutes les idées des premières. Cela vient, en quelque partie, du contraste qu'il y a parmi nous entre les engagements de la religion et ceux du monde ; chose que les anciens ne connaissaient pas. (*Esprit des Lois*, IV, 4.)

*Montesquieu a préparé ces lignes pour son fils :*

Mon fils, vous êtes assez heureux pour n'avoir ni à rougir, ni à vous enorgueillir de votre naissance.

Ma naissance est tellement proportionnée à ma fortune que je serais fâché que l'une ou l'autre fût plus grande.

Vous serez homme de robe ou d'épée. Comme vous devez rendre compte de votre état, c'est à vous à le choisir. Dans la robe, vous trouverez plus d'indépendance et de liberté ; dans le parti de l'épée, de plus grandes espérances.

Il vous est permis de souhaiter de monter à des postes plus éminents, parce qu'il est permis à chaque citoyen de souhaiter d'être en état de rendre de plus grands services à sa patrie. D'ailleurs, une noble ambition est un sentiment utile à la société, lorsqu'il se dirige bien. *(Mes Pensées.)*

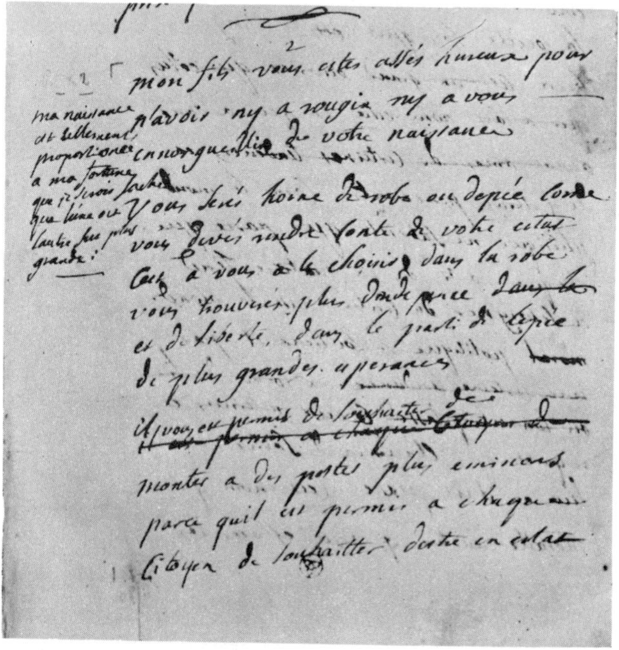

*Un autre principe lui est cher : celui de l'autorité paternelle.*

C'est, de toutes les puissances, celle dont on abuse le moins ; c'est la plus sacrée de toutes les magistratures ; c'est la seule qui ne dépend pas des conventions, et qui les a même précédées.

On remarque que, dans les pays où l'on met dans les mains paternelles plus de récompenses et de punitions, les familles sont mieux réglées : les pères sont l'image du Créateur de l'Univers, qui, quoiqu'il puisse conduire les hommes par son amour, ne laisse pas de se les attacher encore par les motifs de l'espérance et de la crainte.

*(Lettres Persanes, 129.)*

*Montesquieu a rempli consciencieusement les devoirs de sa charge, — sans trop d'enthousiasme pourtant.*

Ce qui m'a toujours donné assez mauvaise opinion de moi, c'est qu'il y a peu d'états dans la République auxquels j'eusse été véritablement propre.

Quant à mon métier de président, j'avais le cœur très droit ; je comprenais assez les questions en elles-mêmes ; mais, quant à la procédure, je n'y entendais rien. Je m'y étais pourtant appliqué ; mais, ce qui m'en dégoûtait le plus, c'est que je voyais à des bêtes ce même talent qui me fuyait, pour ainsi dire.

Je n'ai pas été fâché de passer pour distrait : cela m'a fait hasarder bien des négligences qui m'auraient embarrassé.

*(Mes Pensées.)*

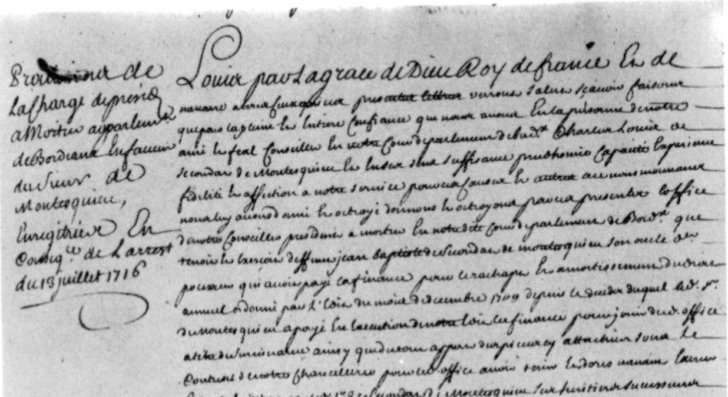

*Plan de Bordeaux en* 1733.

*Mais il a fort soigneusement géré sa fortune.*

Je n'ai pas laissé (je crois) d'augmenter mon bien : j'ai fait de grandes améliorations à mes terres. Mais je sentais que c'était plutôt pour une certaine idée d'habileté que cela me donnait, que pour l'idée de devenir plus riche.

*(Mes Pensées.)*

*Et ceux qui ne respectent pas son domaine, il lui arrive parfois — semble-t-il — de ne pouvoir les tenir pour des hommes.*

Les braconniers chassent sur nos terres ; ces vagabonds sont sans respect pour les propriétés et, malgré les précautions que l'on prend, ils dévastent et font cent fois plus de mal à nos moissons que les renards et les blaireaux ; on sera bientôt obligé de tendre des pièges pour diminuer l'espèce de ces animaux bipèdes, qui mettent tout à feu et à sang.

*(Au président Barbot ; de La Brède, le* 8 *mars* 1752.*)*

*Au demeurant, il ne veut pas être esclave de son argent :*

Il faut savoir le prix de l'argent : les prodigues ne le savent pas, et les avares, encore moins. *(Mes Pensées.)*

L'argent est très estimable lorsqu'on le méprise. *(Ibid.)*

Je disais : « Les grands seigneurs ont des plaisirs ; le peuple a de la joie. » *(Ibid.)*

*Une attitude mesurée lui a permis de satisfaire son besoin de sécurité...*

Je jouais mal ; je quittai un ridicule qui me coûtait beaucoup d'argent. Je veux être comme ceux qui ont des ridicules qui ne leur coûtent rien. *(Mes Pensées.)*

Ce qui fait que j'aime à être à La Brède, c'est qu'à La Brède il me semble que mon argent est sous mes pieds. A Paris, il me semble que je l'ai sur mes épaules. A Paris, je dis : « Il ne faut dépenser que cela. » A ma campagne, je dis : « Il faut que je dépense tout cela. » *(Ibid.)*

*... et son goût de l'indépendance.*

Il m'est aussi impossible d'aller chez quelqu'un dans une vue d'intérêt, qu'il m'est impossible de voler dans les airs.

*(Mes Pensées.)*

Je n'ai point aimé à faire ma fortune par le moyen de la Cour ; j'ai songé à la faire en faisant valoir mes terres, et à tenir ma fortune immédiatement de la main des Dieux. *(Ibid.)*

J'ai toujours eu pour principe de ne faire jamais par autrui ce que je pouvais faire par moi-même. C'est ce qui m'a porté à faire ma fortune par les moyens que j'avais dans mes mains : la modération et la frugalité ; et non par des moyens étrangers, toujours bas ou injustes. *(Ibid.)*

*Mais il a eu son moment d'ambition. Lors de son passage à la Cour de Vienne, l'idée lui est venue d'occuper un emploi dans la diplomatie. Le* 10 *mai* 1728, *il s'en ouvre à l'abbé d'Olivet :*

Il y a quelques jours que j'écrivais à M. le Cardinal et à M. de Chauvelin, que je serais bien aise d'être employé dans les cours étrangères, et que j'avais beaucoup travaillé pour m'en rendre capable. Vous me feriez bien plaisir de voir là-dessus M. Chauvelin ; de tâcher de pénétrer dans quels sentiments il est à cet égard. Je n'ai jamais eu occasion de le connaître pendant qu'il a été particulier, et, depuis, je n'ai pas voulu lui donner assez mauvaise opinion de moi pour qu'il pût croire que je cherchais la fortune. Cependant, je voudrais savoir si je suis un sujet agréable, ou si je dois m'ôter cette idée de la tête, ce qui sera bientôt fait. Les raisons pour qu'on jette les yeux sur moi sont que je ne suis pas plus bête qu'un autre, que j'ai ma fortune faite, et que je travaille pour l'honneur et non pas pour vivre, que je suis assez sociable et assez curieux pour être instruit dans quelque pays que j'aille. *(Correspondance.)*

*En quoi il est mû par l'idée de l'intérêt supérieur de la patrie :*

J'ai naturellement eu de l'amour pour le bien et l'honneur de ma patrie, et peu pour ce qu'on en appelle *la gloire ;* j'ai toujours senti une joie secrète lorsque l'on a fait quelque règlement qui allât au bien commun. *(Mes Pensées.)*

Je ne demande à ma patrie ni pensions, ni honneurs, ni distinctions ; je me trouve amplement récompensé par l'air que j'y respire ; je voudrais seulement qu'on ne l'y corrompît point. *(Ibid.)*

L'esprit du citoyen n'est pas de voir sa patrie dévorer toutes les patries. Ce désir de voir sa ville engloutir toutes les richesses des nations, de nourrir sans cesse ses yeux des triomphes des capitaines et des haines des rois, tout cela ne fait point l'esprit du citoyen. L'esprit du citoyen est le désir de voir l'ordre dans l'État, de sentir de la joie dans la tranquillité publique, dans l'exacte administration de la justice, dans la sûreté des magistrats, dans la prospérité de ceux qui gouvernent, dans le respect rendu aux lois, dans la stabilité de la Monarchie ou de la République.

L'esprit du citoyen est d'aimer les lois, lors même qu'elles ont des cas qui nous sont nuisibles, et de considérer plutôt le bien général qu'elles nous font toujours, que le mal particulier qu'elles nous font quelquefois.

L'esprit du citoyen est d'exercer avec zèle, avec plaisir, avec satisfaction, cette espèce de magistrature, qui, dans le corps politique, est confiée à chacun : car il n'y a personne qui ne participe au gouvernement, soit dans son emploi, soit dans sa famille, soit dans l'administration de ses biens.

Un bon citoyen ne songe jamais à faire sa fortune particulière que par les mêmes voies qui font la fortune publique. Il regarde celui qui agit autrement comme un lâche fripon, qui, ayant une fausse clé d'un trésor commun, en escamote une partie et renonce à partager légitimement ce qu'il aime mieux dérober tout entier. *(Ibid.)*

*Il notera plus tard dans ses Cahiers :*

Je me repentirai toujours de n'avoir pas sollicité, après le retour de mes voyages, quelque place dans les affaires étrangères... *(Mes Pensées.)*

*Mais il y a une patrie plus vaste, qui est le genre humain, et dont Montesquieu se reconnaît citoyen.*

Quand j'ai voyagé dans les pays étrangers, je m'y suis attaché comme au mien propre : j'ai pris part à leur fortune, et j'aurais souhaité qu'ils fussent dans un état florissant. *(Mes Pensées.)*

Quoiqu'on doive aimer souverainement sa patrie, il est aussi ridicule d'en parler avec prévention, que de sa femme, de sa naissance et de son bien, parce que la vanité est sotte partout. *(Ibid.)*

Quand j'agis, je suis citoyen ; mais, lorsque j'écris je suis homme, et je regarde tous les peuples de l'Europe avec la même impartialité que les différents peuples de l'île de Madagascar. *(Ibid.)*

*La prospérité des États étrangers n'est pas seulement le vœu d'une « belle âme ». C'est ce qu'exige notre propre intérêt :*

Un prince croit qu'il sera plus grand par la ruine d'un État voisin. Au contraire ! Les choses sont telles en Europe que tous les États dépendent les uns des autres. La France a besoin de l'opulence de la Pologne et de la Moscovie, comme la Guyenne a besoin de la Bretagne, et la Bretagne, de l'Anjou. L'Europe est un État composé de plusieurs provinces. *(Mes Pensées.)*

*A Florence, Montesquieu s'est senti florentin.*

... le 26 décembre 1728.

C'est une belle ville que Florence. On n'y parle du prince ni en blanc ni en noir ; les ministres vont à pied, et, quand il pleut, ils ont un parapluie bien ciré ; il n'y a que les dames qui ont un bon carrosse, parce que tout honneur leur est dû.

Nous nous retirons le soir avec une petite lanterne, grande comme la main, où nous mettons un bout de bougie. Le matin, je prends mon chapeau de paille dont je couvre ma tête, et je me sers de mon castor d'Angleterre lorsque je sors.

Le soir, nous allons dans les maisons, où nous trouvons deux lampes sur la table, autour de laquelle il y a des dames très jolies, très gaies, et qui ont beaucoup d'esprit. Ce sont des palais où il y a pour quarante ou cinquante mille écus de tableaux et de statues.

Un soir qu'il pleuvait bien fort, je me retirais avec mon parapluie et ma petite lanterne : « Messieurs, dis-je, voilà comme se retirait le grand Cosme, quand il venait de chez sa voisine. »

Il y a ici bien de la politesse, de l'esprit et même du savoir. Les manières y sont simples, et non pas les esprits. On a peine à distinguer un homme d'un autre qui a cinquante mille livres de rente de plus. Une perruque mal mise ne met personne mal avec le public ; on fait grâce des petits ridicules, on n'est puni que des grands. Tout le monde vit dans l'aisance : comme le nécessaire est peu de chose, le superflu est beaucoup. Cela met dans la maison une paix et une joie continuelles, au lieu que la nôtre est toujours troublée par l'importunité de nos créanciers.

*(A Madame de Lambert.)*

*Il a admiré, en Hollande, l'activité des Hollandais.*

A Amsterdam, ce 17 octobre 1729.

... J'ai fait mon voyage fort heureusement, c'est-à-dire fort vite. Je goûte à Amsterdam cette satisfaction que l'on a lorsqu'on voit de belles choses qui sont nouvelles ; on y jouit d'un repos qui n'est point interrompu par les grands plaisirs. Je vais tous les matins me promener sur le port ; c'est un beau spectacle que de voir toute la ville qui travaille : hommes, femmes et enfants portent ou traînent des fardeaux. Il me semble que ce sont ces fourmis que Jupiter changea autrefois en hommes pour peupler l'île d'Egine.
*(Au baron de Stain, premier ministre du duc de Brunswick.)*

*Et il s'est réjoui, en Angleterre, de la sécurité des citoyens anglais.*

Quand un homme en Angleterre aurait autant d'ennemis qu'il a de cheveux sur la tête, il ne lui en arriverait rien : c'est beaucoup, car la santé de l'âme est aussi nécessaire que celle du corps. *(Notes sur l'Angleterre.)*

*DAVID HUME*

* Spicilège Londres 10 avril 1749

Lettre de mr David hume quil faut copier
dans le spicilege, elle est pleine de lumieres et
de bon sens, il y a quelques remarques qui pourront
être utiles pour ma derniere edition de lesprit
des loix et je puis dire que d'une infinité de
papiers qui ont été ecrits la dessus c'est peut être celui qui a
autant de sens je pourrai oter quelques endroits inutiles

Monsieur

ayant appris par mon ami mr Stewart que vous aviés eu la bonté de m'envoyer
un exemplaire de l'esprit des loix que j'avois lu l'automne passée en italie avec tant
de plaisir et de profit, je prens la liberté de vous ecrire pour vous en temoigner
ma reconnoissance. ayant autant d'experience que vous en avés de la nature des hommes vous ne douterés point que je ne sois tres sensible a une faveur qui
de votre part qui flatte autant ma vanité mais ce serait mal faire ma cour
a l'auteur d'un ouvrage qui s'est attiré la plus haute estime de toutes les nations et qui
sera l'admiration de tous les siecles que de m'engager dans un panegyrique. permettés
moi plustot de vous communiquer quelques reflexions que j'ai faites en lisant votre
ouvrage dont la pluspart servent a confirmer de plus en plus les principes sur lesquels votre systeme est fondé. dans mes citations je ferai usage de l'edition
in 4° de geneve.

vol. 1. la remarque de la page 26 lig. 3 est nouvelle et frappante peutetre ne
serés vous pas faché de savoir que le parlement d'angleterre trouvant par ce qui
s'etoit passé en dernier lieu que la nation ecossoise n'etoit pas suffisamment republi-
caine conclut que ce penchant violent au gouvernement monarchique venoit de ce
que la noblesse avoit conservé les jurisdictions gothiques feodales c'est pourquoi le
parlement les abolit il y a deux ans cela fait voir combien les anglois ont été uni-
formes et consequents dans leur maniere de raisonner sur ce sujet. les consequen-
ces que vous predites arriveroient certainement dans le cas d'une revolution dans notre
gouvernement.

a la page 56 vous attribuées l'origine des loix de sparte a la crete en cela vous
vous etes appuyé de l'autorité de platon et d'aristote mais je me rappelle un passage
de polibe ou il examine l'opinion de ces philosophes et tache de la refuter

*Voici donc les maximes du cosmopolitisme...*

Si je savais quelque chose qui me fût utile, et qui fût préjudiciable à ma famille, je la rejetterais de mon esprit. Si je savais quelque chose utile à ma famille, et qui ne le fût pas à ma patrie, je chercherais à l'oublier. Si je savais quelque chose utile à ma patrie, et qui fût préjudiciable à l'Europe, ou bien qui fût utile à l'Europe et préjudiciable au Genre humain, je la regarderais comme un crime.
(*Mes Pensées.*)

Etre vrai partout, même sur sa patrie. Tout citoyen est obligé de mourir pour sa patrie ; personne n'est obligé de mentir pour elle. (*Ibid.*)

*... et quelques exemples de la véracité dont Montesquieu lui-même a fait preuve à l'égard de sa patrie :*

On n'appelle plus parmi nous un grand ministre celui qui est le sage dispensateur des revenus publics ; mais celui qui est homme d'industrie, et qui trouve ce qu'on appelle des expédients. (*Esprit des Lois,* XIII, 15.)

Il est singulier que, parmi nous, on fasse continuellement tout ce qu'on peut pour tenir le peuple dans l'ignorance et lui ôter, sur les affaires de l'État et celles de l'Europe, toutes sortes de lumières, et que, dans le même temps, on suive si fort les préjugés, les impressions et la futilité des discours de ce même peuple, surtout de celui de la Cour. Ce sont de pareils discours qui ont fait entreprendre les deux guerres de 1733 et 1741. (*Mes Pensées.*)

La France n'est plus au milieu de l'Europe ; c'est l'Allemagne. (*Ibid.*)

*Mais si le désordre est néfaste, la diversité est salutaire. Et Montesquieu peut au moins relever ce fait en faveur de sa patrie :*

Une des choses que l'on doit remarquer en France, c'est l'extrême facilité avec laquelle elle s'est toujours remise de ses pertes, de ses maladies, de ses dépopulations, et avec quelle ressource, elle a toujours soutenu ou même surmonté les vices intérieurs de ses divers gouvernements.

Peut-être en doit-elle la cause à cette diversité même, qui a fait que nul mal n'a jamais pu prendre assez de racine pour lui ôter entièrement le fruit de ses avantages naturels. (*Mes Pensées.*)

*Le jugement véridique, la justesse, c'est le commencement de la justice. Et c'est, au premier chef, la vertu de l'historien.*

Le moyen d'acquérir la justice parfaite, c'est de s'en faire une telle habitude qu'on l'observe dans les plus petites choses, et qu'on y plie jusqu'à sa manière de penser. En voici un seul exemple. Il est très indifférent à la société dans laquelle nous vivons qu'un homme qui habite à Stockholm ou à Leipsick fasse bien ou mal des épigrammes ou soit un bon ou un mauvais physicien. Cependant, si nous en portions notre jugement, il faut chercher à le porter juste, afin de nous préparer à en agir de même dans une occasion plus importante. *(Mes Pensées.)*

Je suis dans des circonstances les plus propres du Monde pour écrire l'histoire. Je n'ai aucune vue de fortune : j'ai un tel bien, et ma naissance est telle, que je n'ai ni à rougir de l'une, ni à envier ou admirer l'autre. Je n'ai point été employé dans les affaires, et je n'ai à parler ni pour ma vanité, ni pour ma justification. J'ai vécu dans le monde, et j'ai eu des liaisons, et même d'amitié, avec des gens qui avaient vécu à la cour du prince dont je décris la vie. J'ai su quantité d'anecdotes dans le monde où j'ai vécu une partie de ma vie. Je ne suis ni trop éloigné du temps où ce monarque a vécu pour ignorer bien des circonstances, ni trop près pour en être ébloui. Je suis dans un temps où l'on est beaucoup revenu de l'admiration de l'héroïsme. J'ai voyagé dans les pays étrangers, où j'ai recueilli de bons mémoires. Enfin, le temps a fait sortir des cabinets tous les divers mémoires que ceux de notre nation, où l'on aime à parler de soi, ont écrits en foule ; et, de ces différents mémoires, on tire la vérité, lorsqu'on n'en suit aucun, et qu'on les suit tous ensemble ; lorsqu'on les compare avec des monuments plus authentiques, tels que sont les lettres des ministres, des généraux, les instructions des ambassadeurs et les monuments qui sont comme les pierres principales de l'édifice, entre lesquelles tout le reste s'enchâsse. Enfin, j'ai été d'une profession où j'ai acquis des connaissances du droit de mon pays, et surtout du droit public, si l'on doit appeler ainsi ces faibles et misérables restes de nos lois, que le pouvoir arbitraire a pu jusqu'ici cacher, mais qu'il ne pourra jamais anéantir qu'avec lui-même. *(Ibid.)*

*L'histoire est nécessaire : il faut connaître les dissemblances et les similitudes.*

Pour bien connaître les temps modernes, il faut bien connaître les temps anciens ; il faut suivre chaque loi dans l'esprit de tous les temps. On n'a point semé des dents de dragon, pour faire sortir les hommes de dessous la terre, afin de leur donner des lois.

*(Dossier de l'*Esprit des Lois.*)*

La mort pour un Romain et la mort pour un Chrétien sont deux choses. *(Mes Pensées.)*

*Mais l'histoire est-elle possible ?*

On ne fait pas un système après avoir lu l'histoire ; mais on commence par le système, et on cherche ensuite les preuves ; et il y a tant de faits dans une longue histoire, on a pensé si différemment, les commencements en sont ordinairement si obscurs, qu'on trouve toujours assez de quoi faire valoir toutes sortes de sentiments. *(Mes Pensées.)*

Voltaire n'écrira jamais une bonne histoire : il est comme les moines, qui n'écrivent pas pour le sujet qu'ils traitent, mais pour la gloire de leur ordre ; Voltaire écrit pour son couvent. *(Ibid.)*

C'est un problème si l'imprimerie a servi, ou non, à la vérité de l'histoire.

Autrefois, les auteurs de partis déguisaient la vérité plus hardiment : leurs ouvrages étaient peu répandus et n'étaient guère lus que de quelques gens de leurs sectes ; ils craignaient donc moins de dire des choses absurdes, ils chargeaient plus les caractères, et ils criaient plus fort, parce qu'ils étaient moins entendus.

D'un autre côté, les princes ont fait de cet art le principal objet de leur police ; les censeurs qu'ils ont établis dirigent toutes les plumes.

Autrefois, on pouvait dire la vérité, et on ne la disait pas ; aujourd'hui, on voudrait la dire, et on ne le peut pas.

*(Ibid.)*

*Et si même l'histoire est possible, la connaissance des conjonctures passées pourra-t-elle orienter l'action dans telle conjoncture présente ?*

Les politiques ont beau étudier leur Tacite : ils n'y trouveront que des réflexions subtiles sur des faits qui auraient besoin de l'éternité du Monde pour revenir dans les mêmes circonstances. *(Mes Pensées.)*

Il faut changer de maximes d'État tous les vingt ans, parce que le Monde change. *(Ibid.)*

*Ainsi Montesquieu, dans un écrit de jeunesse, jetait-il le discrédit sur la politique, — vaine prétention à la connaissance des hommes et des causes qui transforment les sociétés :*

La plupart des effets arrivent par des voies si singulières, ou dépendent de causes si imperceptibles et si éloignées, qu'on ne peut guère les prévoir.

... La prudence humaine se réduit à bien peu de chose. Dans la plupart des occasions, il est inutile de délibérer, parce que, quelque parti que l'on prenne, dans les cas où les grands inconvénients ne se présentent pas d'abord à l'esprit, ils sont tous bons.

... Rarement les grands politiques connaissent-ils les hommes. Comme ils ont des vues fines et adroites, ils croient que tous les autres hommes les ont de même. Mais il s'en faut bien que tous les hommes soient fins : ils agissent, au contraire, presque toujours, par caprice ou par passion, ou agissent simplement pour agir et pour qu'on ne dise point qu'ils n'agissent pas. *(De la Politique.)*

*N'y aurait-il donc aucune science de la politique ? Toute l'œuvre de Montesquieu vient au contraire affirmer que le hasard n'est pas souverain, que le monde historique est soumis à des lois, que la politique peut devenir l'objet d'une connaissance précise. Et c'est à l'autorité des Anciens qu'il en appelle :*

Plutarque a remarqué que la philosophie ancienne n'était autre chose que la science du gouvernement. Les Sept Sages, dit-il, si l'on en excepte un seul, ne s'attachèrent qu'à la Politique et à la Morale, et, quoique les Grecs se soient attachés, dans la suite, aux sciences de spéculation, on voit bien que leur plus haut degré d'estime était pour la philosophie active, et leur vrai culte, pour les gouverneurs des villes et leurs législateurs. *(Dossier de l'*Esprit des Lois.*)*

*Montesquieu composera l'*Esprit des Lois *pour démontrer qu'il existe des règles d'action politique et des règles de compré-*

que vous avés travaillé sur les langues, il
vient de paroitre un petit écrit que l'on
attribue a Maupertuis sur le même sujet,
où il y a, dit on, des vües, si je puis
l'avoir, je vous l'envoierrai. à l'egard
de mes loix, j'y travaille huit heures par
jour. l'ouvrage est immense, et je crois
avoir perdu tout le tems, où je travaille
a quelque autre chose qu'à cela. il y aura
quatre vol. in 12. en 24. livres. il me tarde
fort que je sois en état de vous le montrer.
j'en suis extremement enthousiasmé. je suis
mon premier admirateur, je ne sçais si je
serai le dernier. je ne vous le montrerai

*hension des sociétés les plus diverses. Quelques documents, — qu'il faut chercher dans la* Correspondance, *dans le Dossier de l'*Esprit des Lois, *et au détour de certains chapitres du grand livre — nous montreront l'auteur à l'ouvrage, affrontant l'immensité de son sujet.*

A l'égard de mes *Lois*, j'y travaille huit heures par jour. L'ouvrage est immense et je crois avoir perdu tout le temps où je travaille à quelque autre chose qu'à cela. Il y aura quatre volumes in-12 en vingt-quatre livres. Il me tarde fort que je sois en état de vous le montrer. J'en suis extrêmement enthousiasmé ; je suis mon premier admirateur ; je ne sais si je serai le dernier. Je ne vous le montrerai que lorsque je n'aurai plus rien à y faire, ce qui, je crois, sera à la première vue ; mais j'exigerai que vous ne m'en disiez rien que vous ne l'ayez lu tout entier, si vous voulez le lire, et j'ose vous dire que je ne crois pas qu'on y perde son temps par l'abondance des choses.

(*Au Président Barbot,* 20 *décembre* 1741.)

A mon égard, mon ouvrage augmente à mesure que mes forces diminuent. J'en ai pourtant dix-huit livres à peu près de faits et huit qu'il faut arranger. Si je n'en étais pas fou, je n'en ferais pas une ligne. Mais ce qui me désole, c'est de voir les belles choses que je pourrais faire si j'avais des yeux. (*Au même,* 2 *février* 1742.)

*Car Montesquieu est à ce moment déjà presque aveugle. A Maupertuis, qui l'invitait à Berlin, il répond — deux ans avant d'achever l'*Esprit des Lois :

D'ailleurs, que feriez-vous d'un pauvre homme qui tombe et se heurte partout, qui ne reconnaît personne et qui ne sait jamais à qui il parle ?

(*A Maupertuis,* 25 *novembre* 1746.)

*Et il plaisantera sur son infirmité :*

Vous dites que vous êtes aveugle ! Ne voyez-vous pas que nous étions autrefois, vous et moi, de petits esprits rebelles qui furent condamnés aux ténèbres ? Ce qui doit nous consoler, c'est que ceux qui voient clair ne sont pas pour cela lumineux.

(*A Madame du Deffand,* 13 *septembre* 1754.)

Quand je devins aveugle, je compris d'abord que je saurais être aveugle.

On peut compter que, dans la plupart des malheurs, il n'y a qu'à savoir se retourner. *(Mes Pensées.)*

*Mais s'il poursuit son travail, ce n'est pas sans quelque incertitude sur la valeur de son œuvre et l'accueil qui lui sera réservé.*

J'ai travaillé vingt ans de suite à cet ouvrage, et je ne sais pas encore si j'ai été hardi, ou si j'ai été téméraire, si j'ai été accablé par la grandeur, ou si j'ai été soutenu par la majesté de mon sujet. *(Dossier de l'*Esprit des Lois.*)*

S'il m'est permis de prévoir la fortune de mon ouvrage, il sera plus approuvé que lu : de pareilles lectures peuvent être un plaisir ; elles ne sont jamais un amusement. *(Ibid.)*

*Du moins aura-t-il lutté victorieusement contre la confusion.*

Il faut que j'écarte à droite et à gauche, que je perce, et que je me fasse jour. *(Esprit des Lois,* XIX, 1.*)*

Que si, dans la recherche des lois féodales, je me vois dans un labyrinthe obscur, plein de routes et de détours, je crois que je tiens le bout du fil, et que je puis marcher. *(Id.,* XXX, 2.*)*

*Et si l'auteur de l'*Esprit des Lois *avoue, dans sa Préface, qu'il a longtemps cherché et souvent hésité, ce n'est que pour mieux proclamer, tout aussitôt, sa certitude d'avoir enfin trouvé la vérité.*

J'ai bien des fois commencé, et bien des fois abandonné cet ouvrage ; j'ai mille fois envoyé aux vents les feuilles que j'avais écrites ; je sentais tous les jours les mains paternelles tomber ; je suivais mon objet sans former de dessein ; je ne connaissais ni les règles ni les exceptions ; je ne trouvais la vérité que pour la perdre. Mais quand j'ai découvert mes principes, tout ce que je cherchais est venu à moi ; et, dans le cours de vingt années, j'ai vu mon ouvrage commencer, croître, s'avancer et finir.

Si cet ouvrage a du succès, je le devrai beaucoup à la majesté de mon sujet ; cependant je ne crois pas avoir totalement manqué de génie. Quand j'ai vu ce que tant de grands hommes, en France, en Angleterre et en Allemagne, ont écrit avant moi, j'ai été dans l'admiration ; mais je n'ai point perdu le courage. « Et moi aussi, je suis peintre », ai-je dit avec le Corrège.

Cet ouvrage est le fruit des reflexions de toute ma vie, et peutetre que d'un travail jmmense d'un travail fait avec les melieures jntentions d'un travail fait pour l'utilité publique je ne retireray que des chagrins, et que je seray paié par les mains de l'jgnorance et de l'envie.

de tous les gouvernemens que jay vu je ne me previens pour aucun pas même pour celuy que jaime le plus, parceque jay le bonheur dy vivre.

a peine eus je lu quelques ouvrages de jurisprudence que je la regardai comme un pays ou la raison vouloit habiter sans la philosophie

~~je conceus un dessein.~~

*Aux critiques formulées contre son livre, Montesquieu réagira vivement, et non sans mépris.*

On me parlait de la critique idiote de M. Dupin, fermier général, de l'*Esprit des Lois* ; je dis : « Je ne dispute jamais contre les fermiers généraux quand il est question d'argent, ni quand il est question d'esprit. » *(Mes Pensées.)*

Je disais sur l'abbé de Laporte, qui avait écrit contre l'*Esprit des Lois* pour avoir quelques pièces de vingt-et-quatre sols d'un libraire : « Un homme qui dispute pour s'éclairer ne se compromet pas avec un homme qui dispute pour vivre. » *(Ibid.)*

*Pour en finir avec son contradicteur des* Nouvelles ecclésiastiques, *il écrira :*

La manière de critiquer, dont nous parlons, est la chose du monde la plus capable de borner l'étendue, et de diminuer, si j'ose me servir de ce terme, la somme du génie national. La théologie a ses bornes, elle a ses formules ; parce que les vérités qu'elle enseigne étant connues, il faut que les hommes s'y tiennent ; et on doit les empêcher de s'en écarter : c'est là qu'il ne faut pas que le génie prenne l'essor : on le circonscrit, pour ainsi dire, dans une enceinte. Mais c'est se moquer du monde, de vouloir mettre cette enceinte autour de ceux qui traitent les sciences humaines. Les principes de la géométrie sont très vrais ; mais, si on les appliquait à des choses de goût, on ferait déraisonner la raison même. Rien n'étouffe plus la doctrine que de mettre à toutes les choses une robe de docteur : les gens qui veulent toujours enseigner, empêchent beaucoup d'apprendre ; il n'y a point de génie qu'on ne rétrécisse, lorsqu'on l'enveloppera d'un million de scrupules vains. Avez-vous les meilleures intentions du monde ? on vous forcera vous-même d'en douter. Vous ne pouvez plus être occupé à bien dire, quand vous êtes sans cesse effrayé par la crainte de dire mal, et qu'au lieu de suivre votre pensée, vous ne vous occupez que des termes, qui peuvent échapper à la subtilité des critiques. On vient nous mettre un béguin sur la tête, pour nous dire à chaque mot : « Prenez garde de tomber ; vous voulez parler comme vous, je veux que vous parliez comme moi. » Va-t-on prendre l'essor ? ils vous arrêtent par la manche. A-t-on de la force et de la vie ? on vous l'ôte à coups d'épingle.

Vous élevez-vous un peu ? voilà des gens qui prennent leur pied, ou leur toise, lèvent la tête, et vous crient de descendre pour vous mesurer. Courez-vous dans votre carrière ? ils voudront que vous regardiez toutes les pierres que les fourmis ont mises sur votre chemin. Il n'y a ni science ni littérature qui puisse résister à ce pédantisme. Notre siècle a formé des Académies ; on voudra nous faire rentrer dans les écoles des siècles ténébreux. Descartes est bien propre à rassurer ceux qui, avec un génie infiniment moindre que le sien, ont d'aussi bonnes intentions que lui : ce grand homme fut sans cesse accusé d'athéisme ; et l'on n'emploie pas aujourd'hui contre les athées de plus forts arguments que les siens.

*(Défense de l'Esprit des Lois.)*

*Devant les critiques de la Sorbonne, devant la Commission de l'*Index*, Montesquieu affirme la valeur morale de son livre :*

... On n'y trouvera que de l'amour pour le bien, pour la paix et pour le bonheur de tous les hommes.

*(Au duc de Nivernais.)*

*LE DUC DE NIVERNAIS*

Ce livre n'étant fait pour aucun État, aucun État ne peut s'en plaindre. Il est fait pour tous les hommes. On n'a jamais ouï dire qu'on se soit offensé d'un traité de Morale. On sait bien qu'à la Chine il y eut quelques empereurs qui voulurent faire brûler les livres de Philosophie et des Rites, solennellement proscrits. Ils furent plus solennellement rétablis : l'État en avait plus de besoin qu'aucun particulier que ce fût. *(Dossier de l'*Esprit des Lois.*)*

Nous venons, Monsieur, d'essuier encore une bourasque de la part de la Congrégation de l'index au sujet de l'Esprit des Loix. il se tint la semaine passée une Congregation, je sus qu'il devoit y être jugé, et qu'il n'y avoit aucun moien de retarder l'examen. dans cette circonstance j'ai reclamé la protection que S. S. avoit promise quand j'eus l'honneur de lui presenter votre ouvrage

*Il n'a voulu ni réformer les institutions ni même les juger, mais seulement les distinguer les unes des autres et observer les effets de leur fonctionnement dans telles ou telles circonstances données.*

Cet ouvrage a pour objet les lois, les coutumes et les divers usages de tous les peuples de la terre. On peut dire que le sujet en est immense, puisqu'il embrasse toutes les institutions qui sont reçues parmi les hommes ; puisque l'auteur distingue ces institutions ; qu'il examine celles qui conviennent le plus à la société, et à chaque société ; qu'il en cherche l'origine ; qu'il en découvre les causes physiques et morales ; qu'il examine celles qui ont un degré de bonté par elles-mêmes, et celles qui n'en ont aucun ; que de deux pratiques pernicieuses, il cherche celle qui l'est plus et celle qui l'est moins ; qu'il y discute celles qui peuvent avoir de bons effets à un certain égard, et de mauvais dans un autre. Il a cru ses recherches utiles, parce que le bon sens consiste beaucoup à connaître les nuances des choses. *(Défense de l'Esprit des Lois.)*

C'est dans un siècle de lumières que les hommes d'État acquièrent le grand talent de faire à propos les choses bonnes. Tout le monde peut chercher à jeter quelques traits de cette lumière, sans avoir l'orgueil de devenir réformateur.

Je n'ai eu devant mes yeux que mes principes : ils me conduisent, et je ne les mène pas.

Je suis le premier homme du Monde pour croire que ceux qui gouvernent ont de bonnes intentions. Je sais qu'il y a tel pays qui est mal gouverné, et qu'il serait très difficile qu'il le fût mieux. Enfin, je vois plus que je ne juge ; je raisonne sur tout, et je ne critique rien. *(Dossier.)*

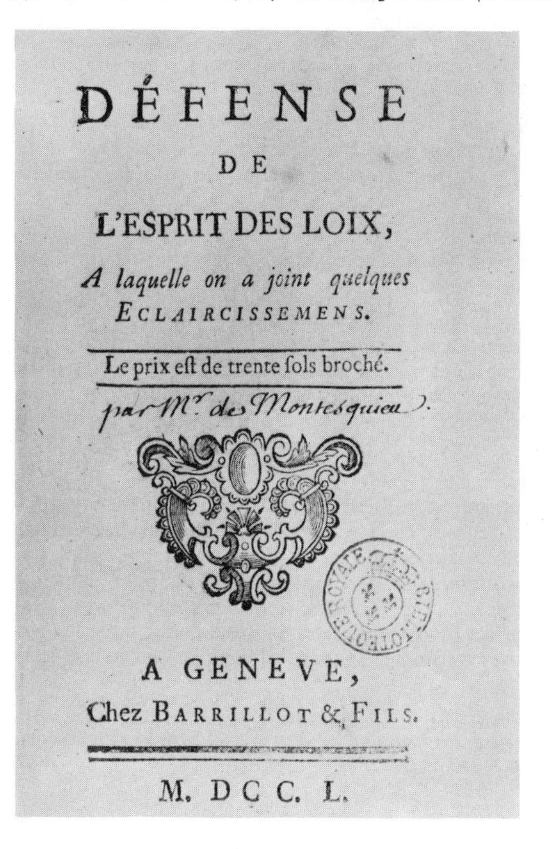
DÉFENSE

DE

L'ESPRIT DES LOIX,

*A laquelle on a joint quelques* ECLAIRCISSEMENS.

Le prix est de trente sols broché.

par Mr. de Montesquieu.



A GENEVE,
Chez BARRILLOT & FILS.

M. DCC. L.

*Il ne s'agit donc pas d'inventer de nouvelles institutions, mais de revenir au principe oublié des institutions présentes : non pas rompre avec la tradition, mais retrouver la vraie tradition.*

Quand une république est corrompue, on ne peut remédier à aucun des maux qui naissent, qu'en ôtant la corruption et en rappelant les principes : toute autre correction est ou inutile ou un nouveau mal. *(Esprit des Lois,* VIII, 12.*)*

*De tel chapitre de l'*Esprit des Lois *le titre même, sous ce rapport, est déjà significatif :*

Combien il faut être attentif à ne point changer l'esprit général d'une nation. *(*XIX, 5.*)*

*Il faut condamner l'impatiente exigence de changer ce qui est.*

Telle est la nature des choses que l'abus est très souvent préférable à la correction, ou, du moins, que le bien qui est établi est toujours préférable au mieux qui ne l'est pas. *(Mes Pensées.)*

Ce qui fait la force de l'autorité des princes, c'est que souvent on ne peut empêcher le mal qu'ils font que par un plus grand mal encore, qui est le danger de la destruction. *(Ibid.)*

Je ferai ici une exhortation à tous les hommes en général, de réfléchir sur leur condition et d'en prendre des idées saines. Il n'est pas impossible qu'ils vivent dans un gouvernement heureux sans le sentir : le bonheur politique étant tel que l'on ne le connaît qu'après l'avoir perdu. *(Ibid.)*

Je ne pense nullement qu'un gouvernement doive dégoûter des autres. Le meilleur de tous est ordinairement celui dans lequel on vit, et un homme sensé doit l'aimer ; car, comme il est impossible d'en changer sans changer de manières et de mœurs, je ne conçois pas, vu l'extrême brièveté de la vie, de quelle utilité il serait pour les hommes de quitter à tous les égards le pli qu'ils ont pris[1]. *(Ibid.)*

1. *Le grief capital d'Helvétius sera précisément que l'*Esprit des Lois *tend à justifier l'ordre établi et le régime des privilèges. On trouvera plus loin (*Appendice*) les passages essentiels de sa fameuse lettre à Montesquieu.*

*Ce qui motive la prudence de Montesquieu, c'est l'idée qu'un peuple est toujours solidaire de ses lois. On ne peut pas dissocier la totalité qui englobe le peuple et les lois qu'il s'est données, ou qu'il a acceptées. D'une part, les lois d'un peuple expriment sa manière de vivre, — elle-même conditionnée par ses besoins élémentaires ...*

Ce sont les différents besoins dans les différents climats qui ont formé les différentes manières de vivre ; et ces différentes manières de vivre ont formé les diverses sortes de lois. Que, dans une nation les hommes se communiquent beaucoup, il faut de certaines lois ; il en faut d'autres chez un peuple où l'on ne se communique point. (*Esprit des Lois*, XIV, 10.)

Les lois ont un très grand rapport avec la façon dont les divers peuples se procurent la subsistance. Il faut un code de lois plus étendu pour un peuple qui s'attache au commerce et à la mer, que pour un peuple qui se contente de cultiver ses terres. Il en faut un plus grand pour celui-ci que pour un peuple qui vit de ses troupeaux. Il en faut un plus grand pour ce dernier que pour un peuple qui vit de sa chasse. (*Id.*, XVIII, 8.)

*... Mais, réciproquement, cette manière de vivre sera modifiée par les lois, qui pourront transformer l'aspect même du sol et le milieu physique. Les facteurs naturels qui conditionnent l'action humaine (et les lois) peuvent subir le choc en retour de l'action humaine.*

Les pays ne sont pas cultivés en raison de leur fertilité, mais en raison de leur liberté ; et si l'on divise la terre par la pensée, on sera étonné de voir la plupart du temps des déserts dans ses parties les plus fertiles, et de grands peuples dans celles où le terrain semble refuser tout. (*Esprit des Lois*, XVIII, 3.)

Souvent la cause physique a besoin de la cause morale pour agir. (*Mes Pensées.*)

*La réciprocité d'action entre les lois et la vie concrète de la communauté est assez indiquée par ces deux titres :*

Comment les lois doivent être relatives aux mœurs et aux manières. (*Esprit des Lois*, XIX, 21.)

Comment les lois peuvent contribuer à former les mœurs, les manières et le caractère d'une nation. (XIX, 27.)

*Si bien que les peuples peuvent être considérés comme des individualités complexes, comme des organismes à la fois matériels et spirituels, à la fois soumis à des besoins et créateurs d'idées.*

Il y a des lois principales et des lois accessoires, et il se forme, dans chaque pays, une espèce de génération de lois. Les peuples, comme chaque individu, ont une suite d'idées, et leur manière de penser totale, comme celle de chaque particulier, a un commencement, un milieu et une fin.

... Je n'ai point pris la plume pour enseigner les lois, mais la manière de les enseigner. Aussi n'ai-je point traité des lois, mais de l'esprit des lois.

(*Dossier de l'*Esprit des Lois.)

*Utile à la cohérence de l'organisme social, la loi est un rapport de convenance. Elle ne peut jamais être que relative aux conditions données. Il serait donc absurde d'attendre qu'elle formulât les exigences absolues d'une morale* a priori.

Il n'y a que des institutions singulières qui confondent ainsi des choses naturellement séparées : les lois, les mœurs et les manières ; mais quoiqu'elles soient séparées, elles ne laissent pas d'avoir entre elles de grands rapports.

On demanda à Solon si les lois qu'il avait données aux Athéniens étaient les meilleures : « Je leur ai donné, répondit-il, les meilleures de celles qu'ils pouvaient souffrir. » Belle parole, qui devrait être entendue de tous les législateurs. (*Esprit des Lois*, XIX, 21.)

Quand je vais dans un pays, je n'examine pas s'il y a de bonnes lois, mais si on exécute celles qui y sont, car il y a de bonnes lois partout. (*Notes sur l'Angleterre.*)

*Pourtant Montesquieu ne renonce pas à invoquer une Justice abstraite :*

Une chose n'est pas juste parce qu'elle est loi ; mais elle doit être loi parce qu'elle est juste. (*Mes Pensées.*)

*Et certes, si tant de peuples sont dans la servitude, ce n'est pas faute d'aimer la liberté. Mais la liberté est un art difficile.*

On ne doit pas être étonné de voir que presque tous les peuples de l'Univers soient si éloignés de la liberté qu'ils aiment. Le gouvernement despotique saute, pour ainsi dire, aux yeux et s'établit presque tout seul. Comme il ne faut que des passions pour le former, tout le monde est bon pour cela. Mais pour faire un gouvernement modéré, il faut combiner les puissances, les tempérer, les faire agir et les régler ; donner, pour ainsi dire, un lest à l'une, pour la mettre en état de résister à une autre. C'est un chef-d'œuvre de législation que le hasard fait bien rarement, et qu'on ne laisse guère faire à la prudence.

*(Mes Pensées.)*

*Montesquieu, en tout cas, se refuse à la définir par la volonté de la classe la plus nombreuse ou la plus puissante.*

... Quand, dans une guerre civile, on dit qu'on combat pour la liberté, ce n'est pas cela : le Peuple combat pour la domination sur les Grands, et les Grands combattent pour la domination sur le Peuple. *(Mes Pensées.)*

... L'État populaire est la liberté des personnes pauvres et faibles et la servitude des personnes riches et puissantes ; et la monarchie est la liberté des grands et la servitude des petits. *(Ibid.)*

*Définie au contraire comme sécurité, la liberté cesse d'être l'apanage des États populaires :*

Le seul avantage qu'un peuple libre ait sur un autre, c'est la sécurité où chacun est que le caprice d'un seul ne lui ôtera point ses biens ou sa vie. Un peuple soumis, qui aurait cette sécurité-là, bien ou mal fondée, serait aussi heureux qu'un peuple libre...

... La liberté faisant souvent naître dans un État deux factions, la faction supérieure se sert sans pitié de ses avantages. Une faction qui domine n'est pas moins terrible qu'un prince en colère. Combien avons-nous vu de particuliers, dans les derniers troubles d'Angleterre, perdre leur vie ou leurs biens ! Il ne sert de rien de dire qu'on n'a qu'à se tenir neutre. Car qui peut être sage quand tout le monde est fou? Sans compter que l'homme modéré est haï des deux partis. D'ailleurs, dans les États libres, le menu peuple est ordinairement insolent. On a beau faire, il n'y a guère d'heures dans le jour où un honnête homme n'ait affaire avec le bas peuple, et, quelque grand seigneur que l'on soit, on y aboutit toujours. Au reste, je compte pour très peu de chose le bonheur de disputer avec fureur sur les affaires d'État, et de ne dire jamais cent mots sans prononcer celui de *liberté*, ni le privilège de haïr la moitié de ses citoyens. *(Mes Pensées.)*

*... Car Montesquieu ne fait pas confiance au peuple. Et, pour la bonne marche du gouvernement républicain, il juge préférable de refuser le droit de vote à ceux qui sont dans un trop profond* « état de bassesse ».

Le Peuple ne suit point les raisonnements des orateurs. Il peut être frappé par les images et par une éloquence qui a des mouvements ; mais rien ne le détermine bien que les spectacles, et, si l'on suit l'histoire des passions du Peuple dominateur, on verra que tous ces grands mouvements ne sont venus que par la vue de quelque action inopinée... La robe ensanglantée de César mit le peuple en fureur et perdit tout. *(Mes Pensées.)*

Il faut que les affaires aillent, et qu'elles aillent un certain mouvement qui ne soit ni trop lent ni trop vite. Mais le peuple a toujours trop d'action, ou trop peu. Quelquefois avec cent mille bras il renverse tout ; quelquefois avec cent mille pieds il ne va que comme les insectes.

*(Esprit des Lois,* II, 2.*)*

Tous les citoyens, dans les divers districts, doivent avoir droit de donner leur voix pour choisir le représentant ; excepté ceux qui sont dans un tel état de bassesse, qu'ils sont réputés n'avoir point de volonté propre. *(Id.,* XI, 6.*)*

... Dans le gouvernement même populaire, la puissance ne doit point tomber entre les mains du bas peuple.

*(Id.,* XV, 18*).*

*Il faut pourtant que, par l'éducation, le sens de la vertu devienne universel — c'est-à-dire commun à tous les citoyens — si l'on veut préserver le ressort du gouvernement. Montesquieu ne nous dit pas si l'on exemptera de ce devoir ceux qui sont* « réputés n'avoir pas de volonté propre ».

Les lois de l'éducation sont les premières que nous recevons. Et, comme elles nous préparent à être citoyens, chaque famille particulière doit être gouvernée sur le plan de la grande famille qui les comprend toutes.

*(Esprit des Lois,* IV, 1.*)*

C'est dans le gouvernement républicain que l'on a besoin de toute la puissance de l'éducation. La crainte des gouvernements despotiques naît d'elle-même parmi les menaces et les châtiments ; l'honneur des monarchies est favorisé par les passions, et les favorise à son tour : mais la vertu politique est un renoncement à soi-même, qui est toujours une chose très pénible. *(Id.*, IV, 5.*)*

*Une démocratie doit tout au moins tendre vers l'égalité...*

Quoique, dans la démocratie, l'égalité réelle soit l'âme de l'État, cependant elle est si difficile à établir, qu'une exactitude extrême à cet égard ne conviendrait pas toujours. Il suffit que l'on établisse un cens qui réduise ou fixe les différences à un certain point ; après quoi, c'est à des lois particulières à égaliser, pour ainsi dire, les inégalités, par les charges qu'elles imposent aux riches, et le soulagement qu'elles accordent aux pauvres.

*(Esprit des Lois*, V, 5.*)*

... *mais en se gardant de tomber dans* « l'esprit d'égalité extrême » :

Autant que le ciel est éloigné de la terre, autant le véritable esprit d'égalité l'est-il de l'esprit d'égalité extrême. Le premier ne consiste point à faire en sorte que tout le monde commande, ou que personne ne soit commandé ; mais à obéir et à commander à ses égaux. Il ne cherche pas à n'avoir point de maître, mais à n'avoir que ses égaux pour maîtres. *(Esprit des Lois*, VIII, 3.*)*

*Dans le despotisme, au contraire, la qualité humaine est comptée pour rien :*

Dans les gouvernements despotiques, où l'on abuse également de l'honneur, des postes et des rangs, on fait indifféremment d'un prince un goujat, et d'un goujat un prince. *(Esprit des Lois*, V, 19.*)*

*Et l'Europe n'est nullement à l'abri du despotisme.*

Une maladie nouvelle s'est répandue en Europe ; elle a saisi nos princes, et leur fait entretenir un nombre désordonné de troupes. Elle a ses redoublements, et elle devient nécessairement contagieuse : car, sitôt qu'un État augmente ce qu'il appelle ses troupes, les autres soudain augmentent les leurs, de façon qu'on ne gagne rien par là, que la ruine commune. Chaque monarque tient sur pied toutes les armées qu'il pourrait avoir si ses peuples étaient en danger d'être exterminés ; et on nomme paix cet état d'effort de tous contre tous. Aussi l'Europe est-elle si ruinée, que les particuliers qui seraient dans la situation où sont les trois puissances de cette partie du monde les plus opulentes, n'auraient pas de quoi vivre. Nous sommes pauvres avec les richesses et le commerce de tout l'univers ; et bientôt, à force d'avoir des soldats, nous n'aurons plus que des soldats, et nous serons comme des Tartares.

Les grands princes, non contents d'acheter les troupes des plus petits, cherchent de tous côtés à payer des alliances, c'est-à-dire, presque toujours à perdre leur argent.

La suite d'une telle situation est l'augmentation perpétuelle des tributs, et, ce qui prévient tous les remèdes à venir, on ne compte plus sur les revenus, mais on fait la guerre avec son capital. Il n'est pas inouï de voir des États hypothéquer leurs fonds pendant la paix même, et employer, pour se ruiner, des moyens, qu'ils appellent extraordinaires, et qui le sont si fort que le fils de famille le plus dérangé les imagine à peine.

(*Esprit des Lois*, XIII, 17.)

Tant de troupes sentiront leur force quelque jour.

(*Mes Pensées.*)

*De toute évidence, la modération apparaît comme la solution la plus profitable.*

La vraie puissance d'un prince ne consiste pas tant dans la facilité qu'il y a à conquérir que dans la difficulté qu'il y a à l'attaquer ; et, si j'ose parler ainsi, dans l'immutabilité de sa condition. Mais l'agrandissement des États leur fait montrer de nouveaux côtés par où on peut les prendre.

Ainsi, comme les monarques doivent avoir de la sagesse pour augmenter leur puissance, ils ne doivent pas avoir moins de prudence afin de la borner. En faisant cesser les inconvénients de la petitesse, il faut qu'ils aient toujours l'œil sur les inconvénients de la grandeur.

(*Esprit des Lois*, IX, 6.)

Rien n'est plus propre à corriger les princes de la fureur des conquêtes lointaines que l'exemple des Portugais et des Espagnols.

*Théologien genevois (mort en* 1789, *à l'âge de* 91 *ans), Jacob Vernet fut un lecteur enthousiaste de l'*Esprit des Lois, - *au sujet duquel dans ses lettres à Montesquieu il a entre autres formulé les jugements suivants* : « Le plus grand morceau de génie et de prudence politiques qui ait encore paru », *ou bien :* « Oh ! Monsieur, que vous donnez de belles leçons au genre humain et que vous enseignez bien de quel œil il faut lire l'histoire et voyager ! »

*C'est lui qui surveilla l'impression de l'ouvrage et conseilla à Montesquieu d'en faire disparaître l'*Invocation aux Muses.

*Le portrait ci-dessus est conservé à la Bibliothèque Publique et Universitaire de Genève.*

*Ci-contre, une lettre de Jacob Vernet à Montesquieu.*

Ces deux nations, ayant conquis avec une rapidité inconcevable des royaumes immenses, plus étonnées de leurs victoires que les peuples vaincus de leur défaite, songèrent aux moyens de les conserver. Ils prirent, chacun, pour cela une voie différente.

Les Espagnols, désespérant de retenir les nations vaincues dans la fidélité, prirent le parti de les exterminer et d'y envoyer d'Espagne des peuples fidèles. Jamais dessein horrible ne fut plus ponctuellement exécuté. On vit un peuple aussi nombreux que tous ceux de l'Europe ensemble disparaître de la Terre à l'arrivée de ces barbares, qui semblèrent, en découvrant les Indes, n'avoir pensé qu'à découvrir aux hommes quel était le dernier période de la cruauté.

Par cette barbarie, ils conservèrent ce pays sous leur domination. Juge par là combien les conquêtes sont funestes, puisque les effets en sont tels : car, enfin, ce remède affreux était unique. Comment auraient-ils pu retenir tant de millions d'hommes dans l'obéissance ? Comment soutenir une guerre civile de si loin ? Que seraient-ils devenus s'ils avaient donné le temps à ces peuples de revenir de l'admiration où ils étaient de l'arrivée de ces nouveaux Dieux et de la crainte de leurs foudres ?

Quant aux Portugais, ils prirent une voie tout opposée : ils n'employèrent pas les cruautés. Aussi furent-ils bientôt chassés de tous les pays qu'ils avaient découverts. Les Hollandais favorisèrent la rébellion de ces peuples et en profitèrent.

Quel prince envierait le sort de ces conquérants ? Qui voudrait de ces conquêtes à ces conditions ? Les uns en furent aussitôt chassés ; les autres en firent des déserts et rendirent leur propre pays un désert encore.

*(Lettres Persanes,* 121.*)*

*C'est là un problème qui concerne la conscience de l'Occident chrétien.*

Il est heureux que l'ignorance dont les Infidèles font profession leur dérobe nos histoires. Ils trouveraient là de quoi se défendre et de quoi attaquer. S'ils jugeaient de notre religion par les idées que leur en auraient données la destruction des Indiens, la Saint-Barthélemy et cinq ou six traits aussi marqués que ceux-là, qu'aurait-on à leur répondre ? Car, enfin, l'histoire d'un peuple chrétien doit être la morale pratique du Christianisme.

*(Mes Pensées.)*

*L'on peut, certes, affirmer que la barbarie est de tous les temps et de tous les pays...*

Je ne sais comment il arriva qu'un Turc se trouva un jour avec un Cannibale. « Vous êtes bien cruel, lui dit le Mahométan ; vous mangez les captifs que vous avez pris à la guerre. — Que faites-vous des vôtres ? lui répondit le Cannibale. — Ah ! nous les tuons. Mais, quand ils sont morts, nous ne les mangeons pas. »

Il semble qu'il n'y ait point de peuple qui n'ait sa cruauté particulière... *(Mes Pensées.)*

*... et tirer de cet argument une attitude d'abstention : si tous les hommes sont indifféremment cruels, pourquoi protester ? Mais Montesquieu proteste, — et retrouve, pour une telle cause, l'ironie et la sourde indignation qu'il semblait avoir oubliées depuis les* Lettres Persanes.

Si j'avais à soutenir le droit que nous avons eu de rendre les nègres esclaves, voici que ce je dirais :

Les peuples d'Europe ayant exterminé ceux de l'Amérique, ils ont dû mettre en esclavage ceux de l'Afrique, pour s'en servir à défricher tant de terres.

Le sucre serait trop cher, si l'on ne faisait travailler la plante qui le produit par des esclaves.

Ceux dont il s'agit sont noirs depuis les pieds jusqu'à la tête ; et ils ont le nez si écrasé qu'il est presque impossible de les plaindre.

On ne peut se mettre dans l'idée que Dieu, qui est un être très sage, ait mis une âme, surtout une âme bonne, dans un corps tout noir.

Il est si naturel de penser que c'est la couleur qui constitue l'essence de l'humanité, que les peuples d'Asie, qui font des eunuques, privent toujours les noirs du rapport qu'ils ont avec nous d'une façon plus marquée.

On peut juger de la couleur de la peau par celle des cheveux, qui, chez les Égyptiens, les meilleurs philosophes du monde, étaient d'une si grande conséquence, qu'ils faisaient mourir tous les hommes roux qui leur tombaient entre les mains.

Une preuve que les nègres n'ont pas le sens commun, c'est qu'ils font plus de cas d'un collier de verre que de l'or, qui, chez des nations policées, est d'une si grande conséquence.

Il est impossible que nous supposions que ces gens-là soient des hommes ; parce que, si nous les supposions des hommes, on commencerait à croire que nous ne sommes pas nous-mêmes chrétiens.

De petits esprits exagèrent trop l'injustice que l'on fait aux Africains. Car, si elle était telle qu'ils le disent, ne serait-il pas venu dans la tête des princes d'Europe, qui font entre eux tant de conventions inutiles, d'en faire une générale en faveur de la miséricorde et de la pitié ?

*(Esprit des Lois,* XV, 5.*)*

La guerre de Spartacus était la plus légitime qui ait jamais été entreprise. *(Mes Pensées.)*

*C'est dans l'*Esprit des Lois *qu'on trouve aussi la* « Très humble remontrance aux Inquisiteurs d'Espagne et de Portugal » — *autre plaidoyer, pour d'autres opprimés :*

Une Juive de dix-huit ans, brûlée à Lisbonne au dernier auto-da-fé, donna occasion à ce petit ouvrage ; et je crois que c'est le plus inutile qui ait jamais été écrit. Quand il s'agit de prouver des choses si claires, on est sûr de ne pas convaincre. *(*XXV, 13.*)*

*Les sentiments de Montesquieu à l'égard de la religion sont dominés par sa peur du fanatisme.*

La dévotion trouve pour faire une mauvaise action des raisons qu'un simple honnête homme ne saurait trouver.

*(Mes Pensées.)*

*Il ne tient au dogme chrétien que pour la morale qui en découle.*

On dispute sur le Dogme, et on ne pratique point la Morale. C'est qu'il est difficile de pratiquer la Morale et très aisé de disputer sur le Dogme. *(Mes Pensées.)*

*La puissance de Dieu échappe aux limitations des doctrines,* « elle est partout, — *et l'homme ne peut servir ce Dieu qu'en servant ses semblables.*

Usbek à Rhedi, à Venise.

Je vois ici des gens qui disputent sans fin sur la Religion ; mais il semble qu'ils combattent en même temps à qui l'observera le moins.

Non seulement ils ne sont pas meilleurs Chrétiens, mais même meilleurs citoyens, et c'est ce qui me touche : car dans quelque religion qu'on vive, l'observation des lois, l'amour pour les hommes, la piété envers les parents, sont toujours les premiers actes de religion.

En effet, le premier objet d'un homme religieux ne doit-il pas être de plaire à la Divinité, qui a établi la religion qu'il professe ? Mais le moyen le plus sûr pour y parvenir est sans doute d'observer les règles de la société et les devoirs de l'humanité : car, en quelque religion qu'on vive, dès qu'on en suppose une, il faut bien que l'on suppose aussi que Dieu aime les hommes, puisqu'il établit une religion pour les rendre heureux ; que, s'il aime les hommes, on est assuré de lui plaire en les aimant aussi, c'est-à-dire en exerçant envers eux tous les devoirs de la charité et de l'humanité, et en ne violant point les lois sous lesquelles ils vivent.

*(Lettres Persanes,* 46.*)*

*Ainsi entendue, la religion constitue la sauvegarde de l'ordre social. L'athée, en revanche, est un fauteur de désordre : tout lui est permis.*

Quand un homme me vient dire qu'il ne croit rien et que la religion est une chimère, il me fait là une fort mauvaise confidence, car je dois avoir sans doute beaucoup de jalousie d'un avantage terrible qu'il a sur moi. Comment ! il peut corrompre ma femme et ma fille sans remords, pendant que j'en serais détourné par la crainte de l'enfer ! La partie n'est pas égale. Qu'il ne croie rien, j'y consens, mais qu'il s'en aille vivre dans un autre pays, avec ceux qui lui ressemblent, ou, tout au moins, qu'il se cache et qu'il ne vienne point insulter à ma crédulité. *(Spicilège.)*

*La religion pourra être utile à l'État, même si les législateurs sont incrédules. Ils se serviront de la superstition du peuple pour renforcer l'autorité des lois. C'est la thèse — historiquement très fausse — de la* Dissertation sur la Politique des Romains dans la Religion :

Ils n'eurent donc d'abord qu'une vue générale, qui était d'inspirer à un peuple qui ne craignait rien, la crainte des dieux, et de se servir de cette crainte pour le conduire à leur fantaisie.

... Bien loin de se servir de la superstition pour opprimer la république, ils l'employaient utilement à la soutenir.

*Thèse qui réapparaîtra dans l'*Esprit des Lois *sous une forme à peine modifiée, et que Montesquieu utilisera contre l'idée de Bayle, — « qu'il vaut mieux être athée qu'idolâtre » :*

Comme la religion et les lois civiles doivent tendre principalement à rendre les hommes bons citoyens, on voit que lorsqu'une des deux s'écartera de ce but, l'autre y doit tendre davantage : moins la religion sera réprimante, plus les lois civiles doivent réprimer. *(Esprit des Lois,* XXIV, 14).

Les dogmes les plus vrais et les plus saints peuvent avoir de très mauvaises conséquences, lorsqu'on ne les lie pas avec les principes de la société ; et, au contraire, les dogmes les plus faux en peuvent avoir d'admirables, lorsqu'on fait qu'ils se rapportent aux mêmes principes. *(Id.,* XXIV, 19.*)*

*La religion, en définitive, est destinée à ceux qui ne sont pas assez raisonnables pour être bons citoyens sans contrainte supplémentaire. Loin de jamais fonder la vie sociale, elle ne fait que s'y surajouter, afin de la mieux régler. Dans la fable des Troglodytes, qui décrit la genèse idéale d'une société, la religion est la dernière nommée : elle n'intervient que pour couronner le bonheur d'une société, déjà parfaitement juste par le seul sentiment de l'intérêt commun.*

Qui pourrait représenter ici le bonheur de ces Troglodytes ? Un peuple si juste devait être chéri des Dieux. Dès qu'il ouvrit les yeux pour les connaître, il apprit à les craindre, et la Religion vint adoucir dans les mœurs ce que la Nature y avait laissé de trop rude.

Ils instituèrent des fêtes en l'honneur des Dieux : les jeunes filles, ornées de fleurs, et les jeunes garçons les célébraient par leurs danses et par les accords d'une musique champêtre. On faisait ensuite des festins, où la joie ne régnait pas moins que la frugalité. C'était dans ces assemblées que parlait la Nature naïve...

*(Lettres Persanes,* 12.*)*

*Si la religion a pour effet de contribuer à l'ordre social, il ne faut cependant pas confondre le temporel et le spirituel. S'ils se trouvent en accord, tant mieux. S'ils sont en désaccord, tant pis. Mais Montesquieu redoute par-dessus tout l'intervention des religieux dans les affaires du siècle.*

On ne doit point statuer par les lois divines ce qui doit l'être par les lois humaines, ni régler par les lois humaines ce qui doit l'être par les lois divines.

Ces deux sortes de lois diffèrent par leur origine, par leur objet et par leur nature. *(Esprit des Lois,* XXVI, 2.*)*

Point de religieux pour les affaires ! S'ils sont de bons religieux, ils entendent mal les affaires du siècle. S'ils entendent les affaires du siècle, ils sont de mauvais religieux. *(Mes Pensées.)*

J'ai peur des Jésuites[1]. Si j'offense un grand, il m'oubliera, je l'oublierai. Je passerai dans une autre province, un autre royaume. Mais, si j'offense les Jésuites à Rome, je les trouverai à Paris ; ils m'environneront partout. La coutume qu'ils ont de s'écrire sans cesse étend leurs inimitiés. Un ennemi des Jésuites est comme un ennemi de l'Inquisition : il trouve des familiers partout.

Les princes qui en font leurs confesseurs font bien mal : car cela répand un esprit de servitude dans la nation et fait que j'honore un père jésuite dans une province comme un homme de Cour honore le confesseur. *(Ibid.)*

Une chose que je ne saurais concilier avec les lumières de ce siècle, c'est l'autorité des Jésuites. *(Ibid.)*

Les ecclésiastiques sont intéressés à maintenir les peuples dans l'ignorance ; sans cela, comme l'Évangile est simple, on leur dirait : « Nous savons tout cela, comme vous. » *(Ibid.)*

*Autre abus : les biens de l'Église.*

Le *bien* de l'Église est un mot équivoque. Autrefois, il exprimait la sainteté des mœurs. Aujourd'hui, il ne signifie autre chose que la prospérité de certaines gens et l'augmentation de leurs privilèges ou de leur revenu.

Faire quelque chose pour le bien de l'Église n'est point faire quelque chose pour le Royaume de Dieu et cette

1. *Montesquieu n'en a pas moins entretenu avec le P. Castel une correspondance amicale.*

société de fidèles dont Jésus-Christ est le chef ; mais c'est faire quelque chose d'opposé à l'intérêt des laïques.

Lorsque l'on a voulu attacher des biens d'Église à de certaines sociétés de pauvres, comme aux Invalides, c'est-à-dire à des gens qui, outre la pauvreté, les blessures, ont encore la honte, qui les empêche de demander le soutien de leur vie, l'Église s'y est opposée et a regardé cela comme une profanation ; et on a succombé, et on a cru ses cris légitimes. Preuve évidente que l'on regarde les biens de l'Église, non pas comme les biens des pauvres, mais comme ceux d'une certaine société vêtue de noir, qui ne se marie pas.

Quand nos rois ont prêté leur serment à leur sacre, ne croyez pas que l'Église, qui l'a exigé, les ait fait jurer de faire observer les lois du Royaume, de bien gouverner leurs sujets, d'être les pères de leurs peuples. Non ! On les a fait seulement jurer qu'ils conserveraient les privilèges de l'Église de Reims.

Quand on a tenu des états, ne croyez pas que le Clergé ait demandé la diminution des impôts et le soulagement du peuple : il ne pensait pas à un mal qu'il ne sentait pas ; mais il demandait seulement quelque extension de leur juridiction ou de leurs privilèges, la réception du concile de Trente, qui leur est favorable. Ils ne songeaient point à la réformation des mœurs. Il est vrai que lorsque les autres ordres en parlaient, ils s'écriaient qu'il n'appartenait qu'à eux de se mêler de leurs affaires, voulant toujours être les réformateurs, afin de n'être jamais les réformés.

*(Mes Pensées.)*

*Montesquieu est philosophe ; il est anticlérical ; mais il repousse l'accusation d'athéisme que lui lanceront les controversistes.*

Je ne sais comment il arrive qu'il est impossible de former un système du Monde sans être d'abord accusé d'athéisme : Descartes, Newton, Gassendi, Malebranche. En quoi on ne fait autre chose que prouver l'athéisme et lui donner des forces, en faisant croire que l'athéisme est si naturel que tous les systèmes, quelque différents qu'ils soient, y tendent toujours. *(Mes Pensées.)*

*Il reconnaît que, sur le plan esthétique, les opinions philosophiques entraînent la déchéance du sublime.*

*MIRABEAU DÉBARQUANT AUX CHAMPS-ÉLYSÉES.*
*On reconnaît Montesquieu parmi les vertueux immortels venus le saluer.*

Il y a, dans le système des Juifs, beaucoup d'aptitude pour le sublime, parce qu'ils avaient coutume d'attribuer toutes leurs pensées et toutes leurs actions à des inspirations particulières de la Divinité : ce qui leur donnait un très grand agent. *(Mes Pensées.)*

... Ce qui achève de perdre le sublime parmi nous et nous empêche de frapper et d'être frappés, c'est cette nouvelle philosophie qui ne nous parle que de lois générales et nous ôte de l'esprit toutes les pensées particulières de la Divinité. Réduisant tout à la communication des mouvements, elle ne parle que d'entendement pur, d'idées claires, de raison, de principes, de conséquences. *(Ibid.)*

*Ce qui le séduit, dans la religion, c'est l'idée de l'effort, c'est la persévérance infinie de l'énergie spirituelle.*

Par la nature de l'entendement humain, nous aimons en fait de religion tout ce qui suppose un effort, comme, en matière de morale, nous aimons spéculativement tout ce qui porte le caractère de la sévérité. *(E. d. L.,* XXV, 4.*)*

Quand l'immortalité de l'âme serait une erreur, je serais très fâché de ne la pas croire. Je ne sais comment pensent les athées. (J'avoue que je ne suis point si humble que les athées.) Mais, pour moi, je ne veux point troquer (et n'irai point troquer) l'idée de mon immortalité contre celle de la béatitude d'un jour. Je suis très charmé de me croire immortel comme Dieu même. Indépendamment des vérités

révélées, des idées métaphysiques me donnent une très forte espérance de mon bonheur éternel, à laquelle je ne voudrais pas renoncer. *(Mes Pensées.)*

Le dogme de l'immortalité de l'âme nous porte à la gloire, au lieu que la créance contraire en affaiblit en nous le désir. *(Ibid.)*

*Et voici, au moment où Montesquieu achève l'*Esprit des Lois, *une méditation qui le conduit en face d'un « grand Être » :*

J'avais conçu le dessein de donner plus d'étendue et plus de profondeur à quelques endroits de cet ouvrage ; j'en suis devenu incapable. Mes lectures ont affaibli mes yeux, et il me semble que ce qui me reste encore de lumière n'est que l'aurore du jour où ils se fermeront pour jamais.

je touche presque au moment ou je dois commancer et finir, au moment qui devoile, et derobe tout, au moment mellé d'amertume et de joye, au moment ou je perderay jusqua mes foiblesses mêmes.

Je touche presque au moment où je dois commencer et finir, au moment qui dévoile et dérobe tout, au moment mêlé d'amertume et de joie, au moment où je perdrai jusqu'à mes faiblesses mêmes.

Pourquoi m'occuperais-je encore de quelques écrits frivoles ? Je cherche l'immortalité, et elle est dans moi-même. Mon âme, agrandissez-vous ! Précipitez-vous dans l'immensité ! Rentrez dans le grand Être !...

Dans l'état déplorable où je me trouve, il ne m'a pas été possible de mettre à cet ouvrage la dernière main, et je l'aurais brûlé mille fois, si je n'avais pensé qu'il était beau de se rendre utile aux hommes jusqu'aux derniers soupirs mêmes...

Dieu immortel ! le Genre humain est votre plus digne ouvrage. L'aimer, c'est vous aimer, et, en finissant ma vie, je vous consacre cet amour. *(Dossier de l'*Esprit des Lois.*)*

**Les derniers moments de Montesquieu :**

« ... *Il se fit ensuite lire la liste de ceux qui étaient venus le voir ; et comme on lui lut M. le curé de Saint-Sulpice :* « *Comment dites-vous cela ? interrompit-il, recommencez.* » *Il se fâcha de ce qu'on n'avait pas laissé entrer le curé et ordonna à chacun de ses gens en particulier de laisser entrer M. le curé, à quelque heure qu'il vînt.*

*Le curé y est allé ce matin vers les huit heures. Le curé lui a décoché en patelin son compliment. Le Président a répondu que son intention était de faire tout ce qui convenait à un honnête homme dans la situation où il se trouvait. Le curé lui a demandé s'il avait dans Paris quelque homme de confiance dont il voulût se servir. Le Président a répondu que dans ces sortes de choses il n'y avait personne en qui il eût jamais eu plus de confiance qu'en son curé ; que, cependant, puisqu'il lui laissait sa liberté, il y avait une personne à Paris en qui il se confiait beaucoup, qu'il l'enverrait chercher, et qu'il ferait demander le saint sacrement après qu'il se serait confessé.*

*Le curé s'est retiré et le Président a envoyé chercher, qui croiriez-vous ? Le P. Castel, Jésuite, qui est arrivé avec son second :* « *Père Castel, lui a dit le Président en l'embrassant, je m'en vais devant.* » *Après quoi le P. Castel a laissé le Président seul avec le jésuite.*

*Il s'est confessé et M. le curé de Saint-Sulpice lui a porté le bon Dieu vers les trois heures. Le curé, tenant l'hostie entre les mains, lui a demandé :* « *Croyez-vous que c'est là votre Dieu ? — Oui, oui, a répondu le Président, je le crois, je le crois. — Faites-lui donc un acte d'adoration.* » *Il s'est assis sur son lit, a tiré son bonnet.* « *Faites un acte d'adoration* », *a dit le curé. Alors le Président a levé vers les cieux ses regards et la main droite, dont il tenait son bonnet ; il a communié. Après quoi, le bon Dieu, le curé et les jésuites sont revenus très contents, chacun chez eux. Quant au P. Castel, il ne se sent pas de joie. Il croit avoir plus fait que François-Xavier, qui prétendait avoir converti douze mille hommes dans une île déserte...* [1] »

1. Fragment d'une lettre adressée à Suard par Mme Dupré de Saint-Maur.

« ... *Avec le genre d'esprit de Montaigne, il a conservé ses préjugés d'homme de robe et de gentilhomme : c'est la source de toutes ses erreurs. Son beau génie l'avait élevé dans sa jeunesse jusqu'aux* Lettres Persanes. *Plus âgé, il semble s'être repenti d'avoir donné à l'envie ce prétexte de nuire à son ambition. Il s'est plus occupé à justifier les idées reçues que du soin d'en établir de nouvelles et de plus utiles. Sa manière est éblouissante. C'est avec le plus grand art du génie qu'il a formé l'alliage des vérités et des préjugés.* » (Helvétius à Saurin).

**Helvétius à Montesquieu :**

« J'ai relu jusqu'à trois fois, mon cher Président, le manuscrit que vous m'avez fait communiquer. Vous m'aviez vivement intéressé pour cet ouvrage à La Brède ; je n'en connaissais pas l'ensemble.

Je ne sais pas si nos têtes françaises sont assez mûres pour en saisir les grandes beautés. Pour moi, elles me ravissent. J'admire l'étendue du génie qui les a créées et la profondeur des recherches auxquelles il a fallu vous livrer pour faire sortir la lumière de ce fatras de lois barbares, dont j'ai toujours cru qu'il y avait si peu de profit à tirer pour l'instruction et le bonheur des hommes. Je vous vois, comme le héros de Milton, pataugeant au milieu du chaos, sortir victorieux des ténèbres. Nous allons être, grâce à vous, bien instruits de l'esprit des législations grecques, romaines, vandales et visigothes, nous connaîtrons le dédale tortueux au travers duquel l'esprit humain s'est traîné pour civiliser quelques malheureux peuples opprimés par des tyrans ou des charlatans religieux. Vous nous dites : voilà le monde comme il s'est gouverné et comme il se gouverne encore. Vous lui prêtez souvent une raison et une sagesse qui n'est au fond que la vôtre et dont il sera bien surpris que vous lui fassiez les honneurs.

Vous composez avec les préjugés comme un jeune homme entrant dans le monde en use avec les vieilles femmes qui ont encore des prétentions et auprès desquelles il ne veut qu'être poli et paraître bien élevé. Mais aussi ne les flattez-vous pas trop ? Passe pour les prêtres : en faisant leur part de gâteau à ces cerbères de l'Église, vous les faites taire sur votre religion ; sur le reste ils ne vous entendront pas. Nos robins ne sont en état ni de vous lire ni de vous juger. Quant aux aristocrates et à nos despotes de tout genre, s'ils vous entendent, ils ne doivent pas trop vous en vouloir. C'est le reproche que j'ai toujours fait à vos principes. Souvenez-vous qu'en les discutant, à La Brède, je convenais qu'ils s'appliquaient à l'état actuel, mais qu'un écrivain qui voulait être utile aux hommes devait plus s'occuper de maximes vraies dans un meilleur ordre de choses à venir que de consacrer celles qui sont dangereuses, du moment que le préjugé s'en empare pour s'en servir et les perpétuer. Employer la philosophie à leur donner de l'importance, c'est faire prendre à l'esprit humain une marche rétrograde et éterniser les abus que l'intérêt et la mauvaise foi ne sont que trop habiles à faire valoir. L'idée de la perfection amuse nos contemporains, mais elle instruit la jeunesse et sert à la postérité. Si nos neveux ont le sens commun, je doute qu'ils s'accommodent de nos principes de gouvernement et qu'ils adaptent à des constitutions sans doute meilleures que les nôtres vos balances compliquées de pouvoirs intermédiaires. Les rois eux-mêmes, s'ils s'éclairent sur leurs vrais intérêts, — et pourquoi ne s'en aviseraient-ils pas ? — chercheront, en se débarrassant de ces pouvoirs, à faire plus sûrement leur bonheur et celui de leurs sujets.

En Europe, aujourd'hui la moins foulée des quatre parties du monde, qu'est un souverain, alors que toutes les sources des revenus publics se sont égarées dans les cent mille canaux de la féodalité qui les détourne sans cesse à son profit ? La moitié de la nation s'enrichit de la misère de l'autre ; la noblesse insolente cabale et le monarque qu'elle flatte en est lui-même opprimé sans qu'il s'en doute. L'histoire bien méditée, en est une leçon perpétuelle : un roi se crée des ordres intermédiaires ; ils sont bientôt ses maîtres et les tyrans de son peuple. Comment contiendraient-ils le despotisme ? Ils n'aiment que l'anarchie pour eux et ne sont jaloux que de leurs privilèges, toujours opposés au droit naturel de ceux qu'ils oppriment.

Je vous l'ai dit, je vous le répète, mon cher ami, vos combinaisons de pouvoirs ne font que séparer et compliquer les intérêts individuels, au lieu de les unir...

... La liberté même dont la nation anglaise jouit est-elle bien dans les principes de cette constitution plutôt que dans deux ou trois bonnes lois qui n'en dépendent pas, que les Français pourraient se donner et qui, seules, rendraient peut-être leur gouvernement plus supportable ? Nous sommes encore loin d'y prétendre. Nos prêtres sont trop fanatiques et nos nobles trop ignorants pour devenir citoyens et sentir les avantages qu'ils gagneraient à l'être, à former une nation. Chacun sait qu'il est esclave, mais vit dans l'espérance d'être sous-despote à son tour.

Un roi est aussi esclave de ses maîtresses, de ses favoris et de ses ministres. S'il se fâche, le coup de pied qu'en reçoivent ses courtisans se rend et se propage jusqu'au dernier goujat. Voilà, j'imagine, dans un gouvernement, le seul emploi auquel peuvent servir les intermédiaires.

Dans un pays gouverné par les fantaisies d'un chef, les intermédiaires qui l'assiègent cherchent encore à le tromper, à l'empêcher d'entendre les vœux et les plaintes du peuple sur les abus dont eux seuls profitent. Est-ce le peuple qui se plaint que l'on trouve dangereux ? Non, c'est celui qu'on n'écoute pas. Dans ce cas, les seules personnes à craindre dans une nation sont celles qui l'empêchent d'être écouté. Le mal est à son comble quand le souverain, malgré les flatteries des intermédiaires, est forcé d'entendre les cris de son peuple arrivés jusqu'à lui. S'il n'y remédie promptement, la chute de l'empire est prochaine. Il peut être averti trop tard que ses courtisans l'ont trompé.

Vous voyez que, par intermédiaires, j'entends les membres de cette vaste aristocratie de nobles et de prêtres dont la tête repose à Versailles, qui usurpe et multiplie à son gré presque toutes les fonctions du pouvoir par le seul privilège de la naissance, sans droit, sans talent, sans mérite, et retient dans sa dépendance jusqu'au souverain qu'elle sait faire vouloir et changer de ministres selon qu'il convient à ses intérêts.

Je finirai, mon cher Président, par vous avôuer que je n'ai jamais bien compris les subtiles distinctions sans cesse répétées sur les différentes formes de gouvernement. Je n'en connais que deux espèces : les bons et les mauvais ; les bons qui sont encore à faire, les mauvais dont tout l'art est, par différents moyens, de faire passer l'argent de la partie gouvernée dans la bourse de la partie gouvernante. Ce que les anciens gouvernements ravissaient par la guerre, nos modernes l'obtiennent plus sûrement par la fiscalité. C'est la seule différence de ses moyens qui en forme les variétés. Je crois cependant à la possibilité d'un bon gouvernement, où, la liberté et la propriété du peuple respectées, on verrait l'intérêt général résulter, sans toutes vos balances, de l'intérêt particulier. Ce serait une machine simple, dont les ressorts aisés à diriger n'exigeraient pas ce grand appareil de rouages et de contrepoids si difficiles à remonter par les gens malhabiles qui se mêlent le plus souvent de gouverner. Ils veulent tout faire et agir sur nous comme sur une matière morte et inanimée, qu'ils façonnent à leur gré, sans consulter ni nos volontés ni nos vrais intérêts, ce qui décèle leur sottise et leur ignorance. Après cela ils s'étonnent que l'excès des abus en provoque la réforme, ils s'en prennent à tout, plutôt qu'à leur maladresse, du mouvement trop rapide que les lumières et l'opinion publique impriment aux affaires. J'ose le prédire : nous touchons à cette époque. »

**Éloge de Montesquieu par Marat :**

Ah ! messieurs, peut-on croire que Montesquieu ait jamais eu dessein de perpétuer ce gouvernement odieux, lui qui n'en parlait point sans frémir. Rendons justice à sa belle âme ; le tableau qu'il en fait en est la plus cruelle satire. Sans doute c'était travailler à l'anéantir, que faire voir *ce qu'il faut faire pour le conserver*.

Quelle que soit la vénération des sages pour ce grand homme, je ne sais si elle n'est encore au-dessous de son mérite, ne craignons pas de le dire ; lorsqu'il développe les ressorts cachés qui font mouvoir le monde politique, il est l'image d'une intelligence supérieure ; mais lorsqu'il emploie ses talents à tracer aux hommes des lois faites pour assurer leur repos, et à les conduire au bonheur par la raison, il est l'image de la Divinité.

Il enseigna à ceux qui font les lois à respecter celles de la nature, les premières, et les plus sacrées de toutes.

Il apprit à ceux qui gouvernent, que les devoirs des princes et des sujets sont réciproques ; et s'il plia le peuple sous le joug de l'autorité, ce fut pour le rendre heureux dans l'empire de la justice.

Il fit sentir aux princes la nécessité de tempérer leur autorité pour l'affermir.

Il fit sentir aux sujets les divers avantages que les lois leur procurent, et les porta à les chérir.

Il éclaira les gouvernements sur leurs vrais intérêts, fit détester l'abus du pouvoir, fit aimer l'autorité légitime, rendit sacré le respect dû aux lois et ne chercha à les perfectionner qu'afin de mieux affermir leur empire.

# *Bibliographie*


**Éditions**

ŒUVRES COMPLÈTES DE MONTESQUIEU, publiées sous la direction d'André Masson, Paris, Nagel, 1950-1955, trois volumes (Cette édition comporte la correspondance de Montesquieu.)

ŒUVRES COMPLÈTES, prés par Roger Caillois, Paris, Gallimard, « Bibliothèque de la Pléiade, » 1949-1951, deux volumes

ŒUVRES COMPLÈTES, préf de G. Vedel, présentation et notes de D. Oster, Paris, Éditions du Seuil, « l'Intégrale, » un volume

**Bibliographies**

David C Cabeen, *Montesquieu : a Bibliography*, New York, 1947. Cette bibliographie a été complétée en 1955 : *A supplementary Montesquieu bibliography*, in : Revue internationale de Philosophie, 33-34, IX, 1955, fasc. 3-4 (Numéro spécial consacré à Montesquieu).

L. Desgraves, *Catalogue de la bibliothèque de Montesquieu*, Genève-Lille, 1954.

J. Marchand, *Bibliographie générale et raisonnée des œuvres de Montesquieu*, bull. Biblioph. et Bibliothéc. 1960, 50-62

**Ouvrages généraux**

L. Brunschvicg, *Le progrès de la conscience dans la philosophie occidentale*, Paris, 1927.

E. Cassirer, *Die Philosophie der Aufklarung*, Tübingen, 1932.

F. Meinecke, *Die Entstehung des Historismus*, 1936, réédité dans le t. III des *Werke*, München, 1959.

Paul Hazard, *La pensée européenne au XVIII*e *siècle. De Montesquieu à Lessing*, trois vol., Paris, 1946

M. Leroy, *Histoire des idées sociales en France* I. *De Montesquieu à Robespierre*, Paris, 1946.

B. Groethuysen, *Philosophie de la Révolution française. Montesquieu*. Paris, 1956.

R. Mauzi, *L'idée du bonheur au XVIII^e siècle*, Paris, 1960
J. Ehrard, *L'idée de nature en France dans la première moitié du XVIII^e siècle*, Paris, 1963, deux vol.

## Biographies et études d'ensemble sur Montesquieu

J. Dedieu, *Montesquieu*, Paris, 1913.
V. Klemperer, *Montesquieu*, Heidelberg, 1914-1915, deux vol.
P. Barrière, *Un grand provincial : Charles-Louis Secondat de Montesquieu, baron de la Brède*, Bordeaux, 1946.
R. Schackleton, *Montesquieu. A critical Biography*, Londres, 1961.

## Études

J. Dedieu, *Montesquieu et la tradition politique anglaise en France*, Paris, 1909.
G. Lanson, *Le déterminisme historique et l'idéalisme social dans l'Esprit des Lois* (dans le vol 23 de la *Revue de Métaphysique et de Morale*, 1916).
E. Carcassonne, *Montesquieu et le problème de la constitution française au XVIII^e siècle*, Paris, 1927.
P. Valéry, *Préface aux Lettres Persanes* (Dans *Variété II*, Paris, 1930).
*Revue de Métaphysique et de Morale*, numéro consacré à Montesquieu à l'occasion du 250^e anniversaire de sa naissance, (vol. 46), Paris, 1939.
P. M. Spurlin, *Montesquieu in America*, Louisiana, 1940.
M. Raymond, *L'humanisme de Montesquieu* (dans *Génies de France*, Neuchâtel, 1942).
*La pensée politique et constitutionnelle de Montesquieu*, recueil Sirey, Paris, 1952.
S. Cotta, *Montesquieu e la scienza della societa*, Torino, 1953.
*Actes du Congrès Montesquieu*, Bordeaux, 1956.
M. Göhring, *Historismus und moderner Verfassungstaat : Montesquieu*, Wiesbaden, 1956
I. Berlin, *Montesquieu*, Londres, 1956
M. W. Rombout, *La conception stoïcienne du bonheur chez Montesquieu et chez quelques-uns des ses contemporains*, La Haye, 1958
J. Ehrard, *Les études sur Montesquieu et l'Esprit des Lois*, L'information littéraire, Paris, mars-avril 1959
M. Imboden, *Montesquieu und die Gewaltentrennung*, Berlin, 1959.
L. Althusser, *Montesquieu La politique et l'histoire*, Paris, 1959.
P. Berselli-Ambri, *L'opera di Montesquieu nel settecento italiano*, Firenze, 1960.
B. Kassem, *Décadence et absolutisme dans l'œuvre de Montesquieu*, Genève, 1960.
W. Stark, *Montesquieu Pioneer of the Sociology of Knowledge*, Londres, 1960.
C. P. Courtney *Montesquieu and Burke*, Oxford, 1963.
F. Schalk, *Montesquieu und die europäischen Traditionen* (dans : *Studien zur Französischen Aufklarung*, München, 1964).
J. Ehrard, *Politique de Montesquieu*, Paris, 1965.
C. Rosso, *Montesquieu moralista*, Pisa, 1965.

# ŒUVRES DE MONTESQUIEU EN LIBRAIRIE [1]

ŒUVRES COMPLÈTES, Gallimard, coll « Bibliothèque de la Pléiade » :
T. I : Discours et Mémoires - Œuvres Académiques - Œuvres Littéraires - Portraits Politiques - Voyages - Mes pensées, 37, 55 F
T. II : Préparation de l'Esprit des Lois (Considérations sur les richesses de l'Espagne, Réflexions sur la Monarchie Universelle en Europe, Essai sur les Causes qui peuvent affecter les Esprits et les Caractères, Considérations sur les Causes de la Grandeur des Romains et de leur Décadence) - De l'Esprit des Lois - Après l'Esprit des Lois - Dernières Œuvres - Spicilège - Appendice, 40,60 F.

ŒUVRES COMPLÈTES, Éditions du Seuil, coll. « l'Intégrale » :
Présentation et notes de Daniel Oster, 1 vol. rel , 24 F.

ŒUVRES COMPLÈTES, Nagel :
T. I : Lettres Persanes - Temple de Gnide - Essai sur le goût - Considérations sur les causes de la Grandeur des Romains et de leur Décadence - De l'Esprit des Lois - Lysimaque.
T. II : Pensées - Spicilège - Geographica - Voyages
T. III : Œuvres Posthumes et Correspondance.
Les 3 vol. rel. 1 2 chagrin, 270 F ; rel. pleine peau, épuisés.

CAHIERS, édition illustrée, Grasset : 9 F.

DE LA GRANDEUR DES ROMAINS ET DE LEUR DÉCADENCE, 1 vol. rel. genre parchemin, dos aquarellé, Garnier, : 7 F, coll. « Prestige », 19,50 F.

GRANDEUR ET DÉCADENCE DES ROMAINS, Hatier, coll « Classiques pour tous », 1,25 F.

CONSIDÉRATIONS SUR LES CAUSES DE LA GRANDEUR ET DE LA DÉCADENCE DES ROMAINS, texte établi par G. Compayre, Colin, épuisé.

DE L'ESPRIT DES LOIS, Garnier, coll. « Classiques », 2 vol., 14 F les 2 ; coll. « Prestige », 2 vol. à 19,50 F chacun.

DE L'ESPRIT DES LOIS, Belles Lettres, coll. « Universités de France » :
T. I (livres I à VIII), 12 F.
T. II (livres IX à XVIII), 12 F.
T. III (livres XIX à XXVI), 12 F.
T. IV (livres XXVII à XXXI), 12 F.

L'ESPRIT DES LOIS (Livre I), Hatier, coll. « Classiques pour tous », 1,25 F.

HISTOIRE VÉRITABLE, édition critique par R. Caillois, Droz, 2,80 F

LETTRES PERSANES : Garnier, coll. « Classiques », 10 F, coll. « Sélecta », 14 F, coll. « Prestige », 19,50 F, coll. « Garnier-Flammarion », 2,45 F. Droz, coll. « Textes Littéraires Français », 19,60 F Belles Lettres, coll. « Universités de France », 2 vol., 9 F les 2. Hachette, coll « Flambeau », 6,50 F. Hatier, coll. « Classiques pour tous », 1,25 F. Colin, coll. « Bibliothèque de Cluny », 5,70 F.

L'ŒUVRE DE MONTESQUIEU (Extraits), Hachette, coll. « Classiques de France », 1,85 F.

EXTRAITS, De Gigord, coll. « Nos auteurs classiques », 0,45 F. Hatier, coll « Nouveaux Classiques », 1,25 F.

PAGES CHOISIES, Hachette, coll. « Classiques illustrés Vaubourdolle », 1,25 F. Larousse, coll. « Petits Classiques », 2 vol. à 1,25 F chacun.

DU PRINCIPE DE LA DÉMOCRATIE, Librairie de Médicis, 4 F.

---

1. Ces prix sont donnés sous toute réserve et à titre indicatif. Ils correspondent aux prix de catalogues de 1965.

# *Table*





ACHEVÉ D'IMPRIMER EN 1966 PAR L'IMPRIMERIE TARDY A BOURGES
D L. 1er trim. 1953 - no 522-7 (1490)